中華國學經典百部

精華本

诗经

［西周］佚名 著

姜波 译

中国书店

图书在版编目（CIP）数据

诗经 /（西周）佚名著；姜波译 .—北京：中国书店，2023.10

（中华国学经典百部：精华本）

ISBN 978-7-5149-2963-8

Ⅰ .①诗… Ⅱ .①佚… ②姜… Ⅲ .①古体诗—诗集—中国—春秋时代②《诗经》—译文 Ⅳ .① I222.2

中国版本图书馆 CIP 数据核字（2022）第 075439 号

诗经

〔西周〕佚名 著 姜波 译

责任编辑：田野

出版发行：中国书店

地　　址：北京市西城区琉璃厂东街 115 号

邮　　编：100050

电　　话：（010）63171753（总编室）

（010）63017857（发行部）

印　　刷：三河市嘉科万达彩色印刷有限公司

开　　本：787mm × 1092mm　1/32

版　　次：2023 年 10 月第 1 版第 1 次印刷

字　　数：178 千

印　　张：6（全 300）

书　　号：ISBN 978-7-5149-2963-8

定　　价：1490.00 元（全 50 册）

前言

作为中国古代诗歌的开端，《诗经》中的许多诗句因其字词美妙、内涵丰富、意蕴深长的特征，而为后世之人所不断引用，至今仍在中国文化领域熠熠生辉。

《诗经》中的爱情诗最为人们所熟知。比如：“窈窕淑女，君子好逑”，将人们对郎才女貌、才子佳人的爱情追求描写得淋漓尽致；“一日不见，如三秋兮”，将恋人分离的煎熬和痛苦表现得贴切生动，经历数代流传而不见丝毫褪色；“执子之手，与子偕老”，直至今日仍作为坚贞的誓言，支撑着人们携手走过一场又一场爱情考验。

《诗经》当然不仅仅描述爱情，它更是一本“周代社会的百科全书”，它广泛而真实地展现了周代社会生活的方方面面，涉及的内容不仅有周人的婚恋，更有周人的民俗、农业、祭祀、战争和狩猎；它涉及的人物不仅有痴男怨女，更有没落贵族、农民、小官吏和奴隶。

《诗经》分为《风》《雅》《颂》三类。《风》又称《国风》，包含了十五个周代诸侯国和地区的民间歌谣，其中一部分诗歌来自当时劳动者的口头创作。这种口头创作的歌谣保留了最鲜活的底层民间风味，充满了早期人类生活的原始和野性，是《诗经》中最为出彩的篇章。

《雅》又分为《小雅》和《大雅》，《大雅》主要是应用于朝会典礼的乐歌，包括开国史诗和一部分政治诗，可当作史料阅读，对于重现当时的政治生活、了解周朝的兴衰过程，有着重要的借鉴意义。《小雅》则扩大了表现范围，从朝会延伸至贵族阶层，从表现重大的国家兴亡到表现士大夫和贵族的生活，在题材上有所开拓。

《颂》则分为《周颂》《鲁颂》《商颂》。《周颂》是西周王室的宗庙祭祀乐歌，《鲁颂》是春秋时期鲁国的宗庙祭祀乐歌，《商颂》是殷商后裔宋国的宗庙祭祀乐歌，其中以《周颂》最具代表性。祭祀是中国古代社会生活的重要组成部分，《国风》中就有多首表现民间祭祀的诗歌，而《颂》专门记述宗庙祭祀，其中既有对君王的美化与歌颂，亦表现出先民的社会理想和时代的进程。

《诗经》是简单的。它体例清晰，篇目分明；赋、比、兴三种艺术手法，贯穿全书；通篇以四言为主，简洁明了；韵律优美，富有节奏；便于诵读，朗朗上口。

《诗经》又是复杂的。洋洋洒洒三百余篇，流传至今已近三千年，其中的用字、本义、主旨，无不晦涩难解；赋、比、兴，常常是你中有我，我中有你，使得诗篇的要旨多变；四言句式，言简义丰，造成歧义不断，难成定论。

然而，正因如此，《诗经》才读不尽，也说不完。每个人都能读出一部属于自己的《诗经》。但要真正读懂《诗经》，你需要细读《诗经》，不是执意着眼于《诗经》的外部研究，也不是盲目追随别人的“一家之言”，而是从每一首诗的字、词、句入手，对《诗经》形成感性的体验和客观的认识。

本书对诗的内容进行详尽的注音和注释，以扫清我们阅读《诗经》的障碍。

《诗经》的美丽、无邪，《诗经》的言外之意、意内之叹、叹中之思，《诗经》的口耳相传、千古不衰，都能在《诗经》的文字里找到答案。

目 录

风

雅

颂

风

周南

关雎

关关雎鸠[1]，在河之洲。窈窕淑女，君子好逑[2]。
参差荇菜[3]，左右流之[4]。窈窕淑女，寤寐求之[5]。
求之不得，寤寐思服[6]。悠哉悠哉，辗转反侧。
参差荇菜，左右采之。窈窕淑女，琴瑟友之。
参差荇菜，左右芼之[7]。窈窕淑女，钟鼓乐之。

【注释】

①关关：鸟鸣声。雎（jū）鸠：一种水鸟的名字。②逑（qiú）：配偶。③荇（xìng）菜：一种可以食用的水生植物。④流：顺着水流采摘。⑤寤（wù）：醒来。寐（mèi）：入睡。⑥思服：思念。⑦芼（mào）：择取。

葛覃

葛之覃兮[1]，施于中谷[2]，维叶萋萋[3]。黄鸟于飞[4]，集于灌木[5]，其鸣喈喈[6]。

葛之覃兮，施于中谷，维叶莫莫[7]。是刈是濩[8]，为絺为绤[9]，服之无斁[10]。

言告师氏[11]，言告言归[12]。薄污我私[13]，薄浣我衣[14]。害浣害否[15]，归宁父母[16]。

【注释】

①葛：一种蔓草，在此处指蔓生之藤。②施（yì）：蔓延。中谷：在山

谷中。③维：语助词。萋（qī）萋：茂盛的样子。④黄鸟：黄雀。于：助词。⑤集：栖息。⑥喈（jiē）喈：鸟儿婉转鸣叫的声音。⑦莫莫：茂盛。⑧刈（yì）：割取。濩（huò）：用热水煮东西，这里是指将葛放在水里煮。⑨絺（chī）：细葛布。绤（xì）：粗葛布。⑩斁（yì）：厌倦。⑪师氏：保姆。⑫言：语气助词，另一说"言"为我。归：原意指出嫁，也可指回娘家。⑬薄：助词。⑭浣（huàn）：洗涤。衣：外衣。⑮害：通"曷"，即何。否：表示否定，此处指不用洗的衣服。⑯归宁：回家以慰父母之心，或指出嫁以让父母安心。

卷耳

采采卷耳①，不盈顷筐②。嗟我怀人③，置彼周行④。
陟彼崔嵬⑤，我马虺隤⑥。我姑酌彼金罍⑦，维以不永怀⑧。
陟彼高冈，我马玄黄⑨。我姑酌彼兕觥⑩，维以不永伤。
陟彼砠矣⑪，我马瘏矣⑫，我仆痡矣⑬，云何吁矣⑭！

【注释】

①采采：一说采摘，一说形容野草茂盛之状。卷耳：一种野菜，今名苍耳。②顷筐：今天的畚箕。③嗟：语气助词，另一说叹息声。④置：放下。周行：大路。⑤陟（zhì）：登高。崔嵬（wéi）：高而不平的土石山。⑥虺隤（huǐ tuí）：疲惫无力的样子。⑦罍（léi）：像酒坛一样大肚小口的盛酒器皿。⑧维：发语词。永：长久。⑨玄黄：形容马腿脚疲软之病。⑩兕觥（sì gōng）：一种饮酒器，形状像伏着的犀牛。⑪砠（jū）：山中陡峭、有阻碍的地方。⑫瘏（tú）：马因疲病而无法前行。⑬痡（pū）：人过度疲惫、无法走路的样子。⑭云何：奈何，如之何。吁（xū）：忧愁。

樛木

南有樛木①，葛藟累之②。乐只君子③，福履绥之④！

南有樛木，葛藟荒之⑤。乐只君子，福履将之⑥！
南有樛木，葛藟萦之⑦。乐只君子，福履成之⑧！

【注释】

①樛（jiū）木：弯曲的树。②葛藟（lěi）：葛和藟都是蔓生植物。累（léi）：攀缘。③只：助词。君子：此处指结婚的新郎。④福履：福禄，幸福。绥（suí）：安乐。⑤荒：覆盖，遮掩。⑥将：一说“扶助”，又一说“大”。⑦萦（yíng）：缠绕。⑧成：来到。

螽斯

螽斯羽①，诜诜兮②。宜尔子孙，振振兮③。
螽斯羽，薨薨兮④。宜尔子孙，绳绳兮⑤。
螽斯羽，揖揖兮⑥。宜尔子孙，蛰蛰兮⑦。

【注释】

①螽（zhōng）斯：或名斯螽，一说为蝗虫，即飞蝗，俗称蚂蚱。②诜（shēn）诜：同“莘莘”，众多貌。③振振：盛多的样子。④薨（hōng）薨：形容螽斯的齐鸣。⑤绳绳：绵延不绝的样子。⑥揖（jí）揖：同“集集”，汇聚。⑦蛰（zhé）蛰：群聚欢乐的样子。

桃夭

桃之夭夭①，灼灼其华②。之子于归③，宜其室家④。
桃之夭夭，有蕡其实⑤。之子于归，宜其家室。
桃之夭夭，其叶蓁蓁⑥。之子于归，宜其家人。

【注释】

①夭夭：花朵怒放的样子。②灼灼：桃花盛开，色彩鲜艳如火

的样子。③之子：这位姑娘。归：指出嫁。④宜：和顺、亲善。室家：家庭。⑤蕡（fén）：硕大。⑥蓁（zhēn）：叶子茂盛的样子。

兔罝

肃肃兔罝①，椓之丁丁②。赳赳武夫③，公侯干城④。
肃肃兔罝，施于中逵⑤。赳赳武夫，公侯好仇⑥。
肃肃兔罝，施于中林⑦。赳赳武夫，公侯腹心。

【注释】

①肃肃：端庄严正的样子。兔：通“菟”，指老虎。罝（jū）：捕兽的网。②椓（zhuó）：打击。丁（zhēng）丁：击打的声音。③赳赳：轻捷有力。武夫：武士。④公侯：周封列国爵位，泛指统治者。干：通“捍”。干城：御敌捍卫之城。⑤中逵（kuí）：四通八达的交叉路口。⑥仇（qiú）：匹配，辅助。⑦林：牧外谓之野，野外谓之林。中林：林中。

芣苢

采采芣苢①，薄言采之②。采采芣苢，薄言有之③。
采采芣苢，薄言掇之④。采采芣苢，薄言捋之⑤。
采采芣苢，薄言袺之⑥。采采芣苢，薄言襭之⑦。

【注释】

①采采：采了又采。芣苢（fú yǐ）：植物名，即车前子。②薄言：发语词，无实义。③有（yǐ）：取。④掇（duō）：拾取。⑤捋（luō）：以手掌握物，摘取物体。⑥袺（jié）：用衣襟兜东西。⑦襭（xié）：翻转衣襟掖于腰带以兜东西。

汉广

南有乔木[①]，不可休思[②]。汉有游女[③]，不可求思。汉之广矣，不可泳思。江之永矣[④]，不可方思[⑤]。

翘翘错薪[⑥]，言刈其楚[⑦]。之子于归[⑧]，言秣其马[⑨]。汉之广矣，不可泳思。江之永矣，不可方思。

翘翘错薪，言刈其蒌[⑩]。之子于归，言秣其驹。汉之广矣，不可泳思。江之永矣，不可方思。

【注释】

①乔木：形容树木高大笔直。②思：语助词，下同。③汉：汉水。游女：游玩的女子。④江：指长江。永：长。⑤方：筏子，此处用作动词，意思是乘木筏渡江。⑥翘翘：高出。错薪：丛丛杂生的柴草。⑦刈（yì）：割。楚：荆树。⑧于归：女子出嫁。⑨秣（mò）：用谷草喂马。⑩蒌（lóu）：蒌蒿，也叫白蒿，一种生在水边的草。

汝坟

遵彼汝坟[①]，伐其条枚[②]。未见君子[③]，惄如调饥[④]。
遵彼汝坟，伐其条肄[⑤]。既见君子，不我遐弃[⑥]。
鲂鱼赪尾[⑦]，王室如燬[⑧]。虽则如燬，父母孔迩[⑨]。

【注释】

①遵：循，沿。汝：汝河，源出河南省。坟：大堤。②条：山楸树。一说为树干（枝曰条，干曰枚）。③君子：此处指在外服役或为官的丈夫。④惄（nì）：饥，一说忧愁。调（zhōu）：又作“輖”，同“朝”，早晨。调饥：早上挨饿，喻男女欢情未得满足。⑤肄（yì）：树被砍伐后再生的小枝。⑥遐：

远。⑦鲂（fáng）鱼：鳊鱼。赪（chēng）：赤红色。⑧燬（huǐ）：烈火，齐人将火称为燬。⑨孔：甚。迩（ěr）：近，此处指迫近饥寒之境。

麟之趾

麟之趾[①]，振振公子[②]。于嗟麟兮[③]！
麟之定[④]，振振公姓[⑤]。于嗟麟兮！
麟之角，振振公族[⑥]。于嗟麟兮！

【注释】

①麟：麒麟，传说中的动物。趾：足，此处是指麒麟的蹄。②振（zhēn）振：诚实仁厚的样子。③于（xū）：通“吁”，叹词。④定：额头。⑤公姓：一说公姓即公子，原诗为叶韵，因此变文。⑥公族：同“公姓”。

召南

鹊巢

维鹊有巢[①]，维鸠居之[②]。之子于归，百两御之[③]。
维鹊有巢，维鸠方之[④]。之子于归，百两将之[⑤]。
维鹊有巢，维鸠盈之[⑥]。之子于归，百两成之[⑦]。

【注释】

①维：发语词。鹊：喜鹊。有巢：比兴男子已造家室。②鸠：鸤鸠、斑鸠。今名布谷鸟。③百：虚数，指数量多。两：同“辆”。御（yà）：同“迓”，迎接。④方：并，比，此处指占居。⑤将（jiāng）：扶，持。⑥盈：满。此处指陪嫁的人众多。⑦成：结婚礼成。

采蘩

于以采蘩[①]，于沼于沚[②]。于以用之，公侯之事[③]。
于以采蘩，于涧之中[④]。于以用之，公侯之宫[⑤]。
被之僮僮[⑥]，夙夜在公[⑦]。被之祁祁[⑧]，薄言还归[⑨]。

【注释】

①于以：往哪儿。一说为语助词。蘩（fán）：白蒿。叶片形状很像艾叶，根茎可食，古代常用来祭祀。②沼：水池。沚（zhǐ）：水中小洲。③事：此指祭祀。④涧：山夹水曰涧。⑤宫：大的房子。汉代以后才专指皇宫。⑥被：首饰，类似于今天的假发。僮（tóng）僮：一说首饰很多的样子，一说光洁不坏的样子。⑦夙：早。公：公庙。⑧祁（qí）祁：形容头发蓬松。⑨归：归寝。

草虫

喓喓草虫[①]，趯趯阜螽[②]。未见君子，忧心忡忡[③]。亦既见止[④]，亦既觏止[⑤]，我心则降。

陟彼南山[⑥]，言采其蕨[⑦]。未见君子，忧心惙惙[⑧]。亦既见止，亦既觏止，我心则说[⑨]。

陟彼南山，言采其薇[⑩]。未见君子，我心伤悲。亦既见止，亦既觏止，我心则夷。

【注释】

①喓（yāo）喓：虫鸣声。草虫：蝈蝈。②趯（tì）趯：昆虫跳跃之状。阜螽（zhōng）：蚱蜢。③忡（chōng）忡：心跳。④止：之，他。一说语助词。⑤觏（gòu）：遇合。⑥陟（zhì）：升，登。⑦蕨（jué）：植物名，蕨菜。⑧惙（chuò）惙：愁苦的样子。⑨说（yuè）：通“悦”。⑩薇：即山菜。

采蘋

于以采蘋[1]，南涧之滨。于以采藻[2]，于彼行潦[3]。
于以盛之，维筐及筥[4]。于以湘之[5]，维锜及釜[6]。
于以奠之[7]，宗室牖下[8]。谁其尸之[9]，有齐季女[10]。

【注释】

①蘋：多年生水草，可食用。②藻：水藻。③行潦（háng lǎo）：沟中积水。行，通“衍”，水沟。潦，流水、积水。④筥（jǔ）：圆形的筐。方称筐，圆称筥。⑤湘：烹，煮。⑥锜（qí）：三足锅。釜（fǔ）：无足锅。⑦奠：放置。⑧宗室：宗庙、祠堂。牖（yǒu）：窗户。⑨尸：主持祭祀。⑩齐（zhāi）：通“斋”，美好、恭敬。季：少、小。

甘棠

蔽芾甘棠[1]，勿翦勿伐[2]，召伯所茇[3]。
蔽芾甘棠，勿翦勿败[4]，召伯所憩[5]。
蔽芾甘棠，勿翦勿拜[6]，召伯所说[7]。

【注释】

①蔽芾（fèi）：树木高大茂密。甘棠：棠梨。②翦：同“剪”。伐：砍伐。③召（shào）伯：即召公，名奭（shì），姬姓，封于燕。茇（bá）：草舍，此处作动词用，居住的意思。④败：毁坏。⑤憩（qì）：休息。⑥拜：拔，一说屈、折。⑦说（shuì）：通“税”，停歇，止息。

行露

厌浥行露[1]，岂不夙夜，谓行多露[2]。

谁谓雀无角[3]，何以穿我屋？谁谓女无家[4]，何以速我狱[5]？虽速我狱，室家不足[6]。

谁谓鼠无牙，何以穿我墉[7]？谁谓女无家，何以速我讼？虽速我讼，亦不女从。

【注释】

①厌浥（yì）：沾湿。行：道路。②谓：同“畏”，意指害怕露浓，与下文“谁谓”的“谓”意思不同；一说奈何。③角：鸟嘴。④女：同“汝”，你。无家：没有成家。⑤速：招致。狱：案件。⑥室家不足：要求成婚的理由不充分。⑦墉（yōng）：墙。

羔羊

羔羊之皮，素丝五纶[1]。退食自公，委蛇委蛇[2]。
羔羊之革[3]，素丝五緎[4]。委蛇委蛇，自公退食。
羔羊之缝[5]，素丝五总[6]。委蛇委蛇，退食自公。

【注释】

①五纶（tuó）：缝制细密的样子。五：通“午”，交错。②委蛇（wēi yí）：同“逶迤”，悠闲自得的样子。③革：皮。④緎（yù）：缝。⑤缝：缝合之处。⑥总（zōng）：语义同纶。

殷其雷

殷其雷[1]，在南山之阳[2]。何斯违斯[3]，莫敢或遑[4]。振振君子[5]，归哉归哉！

殷其雷，在南山之侧。何斯违斯，莫敢遑息。振振君子，归哉归哉！

殷其雷，在南山之下。何斯违斯，莫敢遑处[6]。振振君子，归哉归哉！

【注释】

①殷：雷声。②阳：山南为阳。③斯：指示词。前一“斯”字指此时，后一“斯”字指此地。违：离去。④或：有。遑（huáng）：闲暇。⑤振振：勤奋的样子。⑥处：停留。

摽有梅

摽有梅[1]，其实七兮。求我庶士[2]，迨其吉兮[3]。
摽有梅，其实三兮。求我庶士，迨其今兮[4]。
摽有梅，顷筐塈之[5]。求我庶士，迨其谓之。

【注释】

①摽（biào）：坠落。有：语助词。②庶：很多。士：未婚的男子。③迨（dài）：及。吉：好日子。④今：现在。⑤顷筐：畚箕。塈（jì）：一说为取，一说为给。

小星

嘒彼小星[1]，三五在东。肃肃宵征[2]，夙夜在公。寔命不同[3]！

嘒彼小星，维参与昴[4]。肃肃宵征，抱衾与裯[5]。寔命不犹！

【注释】

①嘒（huì）：微光闪烁。②肃肃：急急忙忙的样子。宵：天未亮以前。征：行。③寔：同“实”。④维：是。参（shēn）、昴（mǎo）：星宿名。⑤抱：古“抛”字。

江有汜

江有汜[1]，之子归，不我以。不我以，其后也悔！
江有渚[2]，之子归，不我与。不我与，其后也处[3]！
江有沱[4]，之子归，不我过。不我过，其啸也歌[5]！

【注释】

①汜（sì）：由主流分出而后重新汇合的河水。②渚（zhǔ）：指水中小洲。③处：忧愁。④沱（tuó）：沱江，长江的支流。⑤啸：号哭。

野有死麕

野有死麕[1]，白茅包之。有女怀春[2]，吉士诱之[3]。
林有朴樕[4]，野有死鹿。白茅纯束[5]，有女如玉。
舒而脱脱兮[6]，无感我帨兮[7]，无使尨也吠[8]！

【注释】

①麕（jūn）：獐子，体形比鹿小，无角。②怀春：思春。③吉士：对男子的美称。④朴樕（sù）：丛生的小型灌木。⑤纯束：捆扎，包裹。“纯”为“稇（kǔn）”的假借。⑥脱（duì）脱：动作文雅舒缓。⑦感（hàn）：通“撼”，动摇的意思。帨（shuì）：佩巾，围裙。⑧尨（máng）：多毛的狗。

何彼襛矣

何彼襛矣[1]，唐棣之华[2]。曷不肃雍[3]，王姬之车[4]。
何彼襛矣，华如桃李。平王之孙[5]，齐侯之子[6]。
其钓维何，维丝伊缗[7]。齐侯之子，平王之孙。

【注释】

①秾（nóng）：花木繁盛的样子。②唐棣（dì）：树名，又作棠棣。一说指车帷。③曷（hé）：疑问代词，何。雍（yōng）：和谐、安详。④王姬：周王的女儿，一说为美女的代称。⑤平王之孙：是对男女婚姻的夸美之词。⑥齐侯之子：齐国诸侯之子。⑦其钓维何，维丝伊缗（mín）：是婚姻恋爱的隐语，或指男女双方门当户对、婚姻美满，或指用适当的方法求婚。

驺虞

彼茁者葭①，壹发五豝②，于嗟乎驺虞③！
彼茁者蓬④，壹发五豵⑤，于嗟乎驺虞！

【注释】

①茁：草初生的样子。②豝（bā）：小母猪。③驺虞（zōu yú）：一说猎人，一说义兽，一说古牧猎官。④蓬（péng）：飞蓬、蓬蒿。⑤豵（zōng）：小猪。

邶风

柏舟

汎彼柏舟①，亦汎其流。耿耿不寐②，如有隐忧③。微我无酒④，以敖以游。

我心匪鉴，不可以茹⑤。亦有兄弟，不可以据⑥。薄言往愬⑦，逢彼之怒。

我心匪石，不可转也。我心匪席，不可卷也。威仪棣棣⑧，不可选也⑨。

忧心悄悄[10]，愠于群小[11]。觏闵既多[12]，受侮不少。静言思之，寤辟有摽[13]。

日居月诸，胡迭而微？心之忧矣，如匪浣衣。静言思之，不能奋飞。

【注释】

①汎：同“泛”，漂流，漂浮。②耿耿：鲁诗作“炯炯”，指眼睛明亮。③隐：痛。④微：非，不是。⑤茹：容纳。⑥据：依靠。⑦愬（sù）：同“诉”，告诉。⑧棣棣：丰富的样子。⑨选：同“巽”，退让。⑩悄悄：忧愁的样子。⑪愠（yùn）：恼怒，怨恨。⑫觏（gòu）：同“遘”，遭逢。闵（mǐn）：痛，指患难。⑬寤：交互。辟（pì）：通“擗”，抚心。摽（biào）：捶打。

绿衣

绿兮衣兮，绿衣黄里。心之忧矣，曷维其已[1]！
绿兮衣兮，绿衣黄裳[2]。心之忧矣，曷维其亡！
绿兮丝兮，女所治兮[3]。我思古人[4]，俾无訧兮[5]。
絺兮绤兮[6]，凄其以风[7]。我思古人，实获我心。

【注释】

①曷：何。已：止。②裳：下衣，形状如今天的裙子。③女（rǔ）：同“汝”。治：缝制。④古人：指已亡故之人。⑤俾（bǐ）：使。訧（yóu）：过失。⑥絺（chī）：细葛布。绤（xì）：粗葛布。⑦凄：凉而有寒意。

燕燕

燕燕于飞[1]，差池其羽[2]。之子于归[3]，远送于野。瞻望弗及，泣涕如雨[4]。

燕燕于飞，颉之颃之[5]。之子于归，远于将之[6]。瞻望弗及，伫立以泣。

燕燕于飞，下上其音。之子于归，远送于南[7]。瞻望弗及，实劳我心[8]。

仲氏任只[9]，其心塞渊[10]。终温且惠[11]，淑慎其身[12]。先君之思[13]，以勖寡人[14]。

【注释】

①燕燕：即燕子。②差（cī）池：同“参差”，形容燕子张舒其尾翼。③于归：出嫁。④涕：眼泪。⑤颉（jié）：向上飞。颃（háng）：向下飞。⑥将：送。⑦南：指卫国的南边，一说野外。⑧劳：忧，劳神。⑨仲：排行第二。⑩塞（sè）：诚实。渊：深厚。⑪终：既，已经。惠：和顺。⑫淑：善良。⑬先君：已故的国君。⑭勖（xù）：勉励。

日月

日居月诸[1]，照临下土。乃如之人兮[2]，逝不古处[3]。胡能有定[4]，宁不我顾[5]？

日居月诸，下土是冒[6]。乃如之人兮，逝不相好[7]。胡能有定，宁不我报？

日居月诸，出自东方。乃如之人兮，德音无良[8]。胡能有定，俾也可忘[9]！

日居月诸，东方自出。父兮母兮，畜我不卒[10]。胡能有定，报我不述[11]！

【注释】

①居、诸：语尾助词。②乃：可是。之人：这个人。③古处：一说旧

处，和原来一样相处。④胡：何，怎么。定：止。⑤宁：竟然，难道。⑥冒：覆盖，照耀。⑦相好：相爱。⑧德音：好的名誉。⑨俾（bǐ）：使。⑩畜：同“慉”，喜爱。不卒：不到最后。⑪不述：不循义理。

终风

终风且暴[①]，顾我则笑[②]。谑浪笑敖[③]，中心是悼[④]。
终风且霾[⑤]，惠然肯来[⑥]。莫往莫来[⑦]，悠悠我思。
终风且曀[⑧]，不日有曀[⑨]。寤言不寐，愿言则嚏[⑩]。
曀曀其阴[⑪]，虺虺其雷[⑫]。寤言不寐，愿言则怀。

【注释】

①终：既。暴：疾风。②则：而。③谑浪笑敖：戏谑。谑，调戏。浪，放荡。敖，放纵。④中心：心中。悼：烦忧，害怕。⑤霾（mái）：沙尘飞扬的景象。⑥惠：顺。⑦莫往莫来：不相往来。⑧曀（yì）：阴云密布又有风的天气。⑨不日：不见太阳。⑩嚏（tì）：打喷嚏。⑪曀（yì）曀：天很阴暗的样子。⑫虺（huǐ）虺：形容雷声。

击鼓

击鼓其镗[①]，踊跃用兵[②]。土国城漕[③]，我独南行。
从孙子仲[④]，平陈与宋[⑤]。不我以归[⑥]，忧心有忡[⑦]。
爰居爰处[⑧]，爰丧其马[⑨]？于以求之[⑩]？于林之下。
死生契阔[⑪]，与子成说[⑫]。执子之手，与子偕老。
于嗟阔兮[⑬]，不我活兮。于嗟洵兮，不我信兮。

【注释】

①镗（táng）：鼓声。其镗：犹言“镗镗”。②踊跃：鼓舞。③土国城

漕：卫国大兴土木，筑造漕城。④孙子仲：卫国将领。⑤平：调停。此处指救陈以调和陈宋关系。⑥不我以归：意思是长期不许我回家。⑦有忡（chōng）：忡忡。⑧爰（yuán）：于是。⑨丧：丧失。⑩于以：于何。⑪契阔：聚散。⑫成说：誓约。⑬于嗟：即“吁嗟”，叹词。

凯风

凯风自南①，吹彼棘心②。棘心夭夭③，母氏劬劳④。
凯风自南，吹彼棘薪⑤。母氏圣善⑥，我无令人⑦。
爰有寒泉，在浚之下。有子七人，母氏劳苦。
睍睆黄鸟⑧，载好其音。有子七人，莫慰母心。

【注释】

①凯风：即夏天的风。②棘：酸枣树。③夭夭：树木娇嫩的样子。④劬（qú）劳：劳累。⑤棘薪：可以当柴烧的酸枣树。⑥圣善：明事理，有美德。⑦令：善。⑧睍睆（xiàn huǎn）：形容鸟鸣声清脆婉转。黄鸟：黄雀。

雄雉

雄雉于飞，泄泄①其羽。我之怀矣，自诒伊阻②。
雄雉于飞，下上其音。展矣君子③，实劳我心④。
瞻彼日月，悠悠我思。道之云远，曷云能来。
百尔君子，不知德行。不忮不求⑤，何用不臧⑥。

【注释】

①泄（yì）泄：舒畅地展翅。②自诒（yí）：自寻烦恼。③展：确实。④劳：忧。⑤忮（zhì）：害人，忌恨。⑥臧（zāng）：善。

匏有苦叶

匏有苦叶①，济有深涉②。深则厉③，浅则揭④。
有弥济盈⑤，有鷕雉鸣⑥。济盈不濡轨⑦，雉鸣求其牡⑧。
雍雍鸣雁⑨，旭日始旦。士如归妻⑩，迨冰未泮。
招招舟子，人涉卬否。人涉卬否，卬须我友。

【注释】

①匏（páo）：葫芦之类的植物。②济：此处指济水。③厉：不解衣涉水。④揭（qì）：提起下衣渡水。⑤弥（mí）：大水茫茫。⑥鷕（yǎo）：野鸡的叫声。⑦濡：沾湿。⑧牡：雄性的野鸡。⑨雍雍：大雁的和鸣之声。⑩归妻：娶妻。

谷风

习习谷风①，以阴以雨。黾勉同心②，不宜有怒。采葑采菲③，无以下体。德音④莫违，及尔同死。

行道迟迟，中心有违⑤。不远伊迩，薄送我畿⑥。谁谓荼苦⑦，其甘如荠⑧。宴尔新昏，如兄如弟。

泾以渭浊，湜湜其沚⑨。宴尔新昏，不我屑以。毋逝我梁⑩，毋发我笱⑪。我躬不阅⑫，遑恤我后⑬。

就其深矣，方之舟之⑭；就其浅矣，泳之游之。何有何亡，黾勉求之。凡民有丧，匍匐救之。

不我能慉⑮，反以我为雠⑯。既阻我德，贾用不售⑰。昔育恐育鞫⑱，及尔颠覆⑲。既生既育，比予于毒。

我有旨蓄，亦以御冬。宴尔新昏，以我御穷。有洸有溃⑳，既诒我肄㉑。不念昔者，伊余来塈㉒。

【注释】

①习习：连续不断的风声。谷风：来自山谷的大风。②黾（mǐn）勉：勉力，努力。③葑（fēng）：蔓菁。菲：萝卜。④德音：指丈夫曾对她说过的好听的话。⑤违：内心矛盾。⑥薄：语气助词。畿（jī）：指门槛。⑦荼（tú）：苦菜。⑧荠：荠菜。⑨湜（shí）湜：水清。沚（zhǐ）：河底。⑩逝：去。梁：捕鱼的水坝。⑪发：同"拨"，弄乱了。笱（gǒu）：捕鱼的竹篓。⑫阅：容纳。⑬恤（xù）：忧，顾及。⑭方：筏子。⑮慉（xù）：好，爱惜。⑯雠（chóu）：同"仇"，仇人。⑰贾：卖。用：货物。不售：卖不出。⑱鞫（jū）：穷困。⑲颠覆：患难。⑳洸（guāng）：粗暴。溃：愤怒。㉑诒（yí）：通"遗"，给予。肄（yì）：劳苦的工作。㉒塈（jì）：爱。

式微

式微式微[①]，胡不归？微君之故[②]，胡为乎中露[③]？
式微式微，胡不归？微君之躬，胡为乎泥中？

【注释】

①微：（日光）衰微，黄昏或天黑。②微：非。故：事。③中露：即露中，露水之中。

旄丘

旄丘之葛兮[①]，何诞之节兮[②]？叔兮伯兮[③]，何多日也？
何其处也，必有与也[④]。何其久也，必有以也。
狐裘蒙戎[⑤]，匪车不东[⑥]。叔兮伯兮，靡所与同[⑦]。
琐兮尾兮[⑧]，流离之子[⑨]。叔兮伯兮，褎如充耳[⑩]。

【注释】

①旄（máo）丘：前高后低的土山。②诞：延，长。③叔、伯：此处指卫国诸臣。④与：盟国；一说同“以”，原因。⑤蒙戎：散乱。⑥匪：非。⑦靡：没有。⑧琐：细小。尾：卑微。⑨流离：鸟名，或指枭。⑩褎（yòu）：聋。

简兮

简兮简兮①，方将万舞②。日之方中，在前上处③。

硕人俣俣④，公庭万舞。有力如虎，执辔如组⑤。

左手执籥⑥，右手秉翟⑦。赫如渥赭⑧，公言锡爵⑨。

山有榛⑩，隰有苓⑪。云谁之思，西方美人。彼美人兮，西方之人兮。

【注释】

①简：鼓声。②万舞：一种舞蹈形式。③在前上处：此处指舞列的第一名。④俣（yǔ）俣：魁梧健美。⑤辔（pèi）：马缰。⑥籥（yuè）：古乐器，三孔笛。⑦翟（dí）：野鸡尾巴上的羽毛。⑧渥（wò）：厚。⑨锡：通“赐”。⑩榛（zhēn）：榛树。⑪隰（xí）：低下的湿地。

泉水

毖彼泉水①，亦流于淇②。有怀于卫，靡日不思。娈彼诸姬③，聊与之谋④。

出宿于泲⑤，饮饯于祢⑥。女子有行⑦，远父母兄弟，问我诸姑，遂及伯姊。

出宿于干，饮饯于言⑧。载脂载舝⑨，还车言迈⑩。遄臻于卫⑪，不瑕有害。

我思肥泉，兹之永叹。思须与漕，我心悠悠。驾言出游，以写我忧[12]。

【注释】

①毖（bì）：“泌”的假借字，泉水涌流的样子。②淇：淇水，卫国河名。③娈（luán）：美好的样子。④聊：一说愿，一说姑且。⑤泲（jǐ）：地名。⑥饯（jiàn）：以酒送行。⑦行：指女子出嫁。⑧干、言：均为地名。⑨牽（xiá）：通“辖”，车轴两头的金属键。⑩迈：远行。⑪遄（chuán）：疾速。臻：至。⑫写：通“泻”，排除。

北门

出自北门，忧心殷殷[1]。终窭且贫[2]，莫知我艰。已焉哉！天实为之，谓之何哉[3]！

王事适我[4]，政事一埤益我[5]。我入自外，室人交遍谪我[6]。已焉哉！天实为之，谓之何哉！

王事敦我[7]，政事一埤遗我[8]。我入自外，室人交遍摧我[9]。已焉哉！天实为之，谓之何哉！

【注释】

①殷殷：形容十分忧伤。②终：既。窭（jù）：贫窘。③谓：奈何不得。④王事：此处指有关王室的事务。适（zhì）：掷。⑤政事：公家的事。埤（pí）：增加，增补。益：增加。⑥谪（zhé）：谴责。⑦敦：逼迫。⑧遗：增加。⑨摧：讽刺。

北风

北风其凉，雨雪其雱[1]。惠而好我[2]，携手同行。其虚其邪[3]，既亟只且[4]。

北风其喈[5]，雨雪其霏。惠而好我，携手同归。其虚其邪，既亟只且。

莫赤匪狐[6]，莫黑匪乌。惠而好我，携手同车。其虚其邪，既亟只且。

【注释】

①雨（yù）雪：下雪。雨作动词用。雱（pāng）：雪下得很大的样子。②惠：爱。③虚、邪：徐缓。④既：已经。⑤喈（jiē）：寒凉。⑥莫赤匪狐：没有不红的狐狸。莫，无，没有。匪，非。

静女

静女其姝[1]，俟我于城隅[2]。爱而不见[3]，搔首踟蹰[4]。
静女其娈[5]，贻我彤管[6]。彤管有炜[7]，说怿女美[8]。
自牧归荑[9]，洵美且异[10]。匪女之为美，美人之贻。

【注释】

①静女：温柔娴雅的女子。②俟（sì）：等待。③爱：隐蔽的样子。④踟蹰（chí chú）：徘徊不定。⑤娈：面容姣好。⑥贻（yí）：赠。⑦炜（wěi）：盛明的样子，有光彩。⑧说怿（yuè yì）：即“悦怿”，喜悦。⑨牧：野外。归：借作“馈”，赠。⑩洵：实在，诚然。

新台[1]

新台有泚[2]，河水弥弥[3]。燕婉之求[4]，籧篨不鲜[5]。
新台有洒[6]，河水浼浼[7]。燕婉之求，籧篨不殄[8]。
鱼网之设，鸿则离之[9]。燕婉之求，得此戚施[10]。

【注释】

①新台：地名。②有泚（cǐ）：鲜明的样子。③弥弥：大水茫茫。④燕婉：安乐，美好。⑤籧篨（qú chú）：原意是粗竹席，比喻生有鸡胸，不能弯腰的人。⑥有洒（cuǐ）：高峻。⑦浼（měi）浼：与“瀰瀰”意思相近，水满的样子。⑧殄（tiǎn）：同“腆”，善。⑨鸿：蟾蜍。旧解为鸟名，雁之大者。闻一多在《〈诗·新台〉鸿字说》一文中考证鸿即蛤蟆。⑩戚施：驼背的人。

二子乘舟

二子乘舟，汎汎其景[①]。愿言思子[②]，中心养养[③]。
二子乘舟，汎汎其逝。愿言思子，不瑕有害[④]！

【注释】

①汎汎：同“泛泛”，漂荡的样子。景：通“憬”，远行。②愿：思念。③养（yáng）养：心神不定，烦躁不安。④瑕：训“胡”，“胡”通“无”。

鄘风

柏舟

汎彼柏舟，在彼中河。髧彼两髦[①]，实维我仪[②]。之死矢靡它[③]。母也天只[④]，不谅人只[⑤]！

汎彼柏舟，在彼河侧。髧彼两髦，实维我特[⑥]。之死矢靡慝[⑦]。母也天只，不谅人只！

【注释】

①髧（dàn）：头发下垂的样子。②仪：配偶。③之：到。矢：誓。靡

它：无二心。④只：语助词。⑤谅：相信。⑥特：与上文的“仪”同义。⑦慝（tè）：改变。

墙有茨

墙有茨[1]，不可埽也[2]。中冓之言[3]，不可道也[4]。所可道也[5]，言之丑也。

墙有茨，不可襄也[6]。中冓之言，不可详也[7]。所可详也，言之长也。

墙有茨，不可束也。中冓之言，不可读也[8]。所可读也，言之辱也。

【注释】

①茨：蒺藜。②埽：同“扫”。③中冓（gòu）：内室，宫中隐秘之处。④道：说。⑤所：若。⑥襄（xiāng）：除去。⑦详：借作“扬”，传扬。⑧读：说。

君子偕老

君子偕老[1]，副笄六珈[2]。委委佗佗，如山如河[3]。象服是宜[4]。子之不淑[5]，云如之何[6]！

玼兮玼兮[7]，其之翟也[8]。鬒发如云[9]，不屑髢也[10]。玉之瑱也[11]，象之揥也[12]，扬且之皙也[13]。胡然而天也[14]！胡然而帝也！

瑳兮瑳兮[15]，其之展也[16]，蒙彼绉絺[17]，是绁袢也[18]。子之清扬[19]，扬且之颜也[20]。展如之人兮[21]，邦之媛也！

【注释】

①君子：指卫宣公。②副：妇人的一种首饰。笄（jī）：簪。珈（jiā）：饰玉。③委（wēi）委佗（yí）佗，如山如河：一说举止雍容华贵，像山稳重，似河深沉。一说体态轻盈，如山般蜿蜒，似河般曲折。④象服：镶有珠宝、绘有花纹的礼服。⑤子：指宣姜。⑥如之何：奈之何。⑦玼（cǐ）：花纹绚烂。⑧翟（dí）：绣着山鸡彩羽的象服。⑨鬒（zhěn）：黑发。⑩髢（dí）：假发。⑪瑱（tiàn）：冠冕上垂在两耳旁的玉。⑫象：象牙。揥（tì）：发钗一类的首饰。⑬扬：额。⑭胡：怎么。⑮瑳（cuō）：玉色鲜丽洁白。⑯展：古代夏天穿的一种纱衣。⑰蒙：覆盖，罩上。⑱绁袢（xiè pàn）：夏天穿的内衣。⑲清：眼神清秀。扬：眉宇宽广。⑳颜：额头，也可指面容、脸色。㉑展：的确。

桑中

爰采唐矣[①]，沫之乡矣[②]。云谁之思，美孟姜矣[③]。期我乎桑中[④]，要我乎上宫[⑤]，送我乎淇之上矣。

爰采麦矣，沫之北矣。云谁之思，美孟弋矣。期我乎桑中，要我乎上宫，送我乎淇之上矣。

爰采葑矣[⑥]，沫之东矣。云谁之思，美孟庸矣。期我乎桑中，要我乎上宫，送我乎淇之上矣。

【注释】

①爰：于何，在哪里。唐：植物名，即菟丝子。一说当训为“棠”，梨的一种。②沬（mèi）：卫邑名，即牧野。③孟姜：姜家的长女。孟：兄弟姊妹排行第一的人。姜与下文的“弋”“庸”一样，都是贵族姓氏。④桑中：地名，一说桑林中。⑤上宫：宫室。⑥葑（fēng）：一种菜名，即芜菁。

鹑之奔奔

鹑之奔奔①，鹊之彊彊②。人之无良，我以为兄。

鹊之彊彊，鹑之奔奔。人之无良，我以为君。

【注释】

①奔奔：跳跃奔走。②彊（qiáng）彊：飞翔。

定之方中

定之方中①，作于楚宫②。揆之以日③，作于楚室④。树之榛栗，椅桐梓漆，爰伐琴瑟。

升彼虚矣⑤，以望楚矣。望楚与堂⑥，景山与京⑦。降观于桑，卜云其吉⑧，终然允臧⑨。

灵雨既零⑩，命彼倌人⑪，星言夙驾⑫，说于桑田⑬。匪直也人⑭，秉心塞渊⑮，騋牝三千⑯。

【注释】

①定：又名营室，星宿名。②楚宫：楚丘的宫殿。③揆（kuí）：测度。日：日影。④楚室：与"楚宫"同义。⑤虚：同"墟"。⑥堂：楚丘旁的堂邑。⑦景：测量。京：高丘。⑧卜：古人烧龟甲察看裂纹以测吉凶。⑨臧：好，善。⑩灵雨：及时雨。零：落。⑪倌人：驾车小臣。⑫星：晴。夙：早上。⑬说（shuì）：通"税"，休息。⑭匪：犹"彼"。⑮秉心：用心、操心。塞渊：充实，深沉。⑯騋（lái）：七尺以上的马。牝（pìn）：母马。

蝃蝀

蝃蝀在东①，莫之敢指。女子有行②，远父母兄弟。

朝隮于西[3]，崇朝其雨[4]。女子有行，远兄弟父母。

乃如之人也[5]，怀昏姻也[6]。大无信也[7]，不知命也。

【注释】

①蝃蝀（dì dōng）：同“螮蝀”，彩虹。②有行：指出嫁。③隮（jī）：虹。④崇朝：指从日出到吃早餐的时候。⑤乃如之人：像这样的人。⑥怀：与“坏”通用，有败坏、破坏之意。⑦大：太。信：贞洁。

相鼠

相鼠有皮[1]，人而无仪[2]。人而无仪，不死何为！

相鼠有齿，人而无止[3]。人而无止，不死何俟[4]！

相鼠有体，人而无礼。人而无礼，胡不遄死[5]！

【注释】

①相：视。②仪：威仪。③止：假借为“耻”。④俟（sì）：等。⑤胡：何。遄（chuán）：速。

干旄

孑孑干旄[1]，在浚之郊[2]。素丝纰之[3]，良马四之。彼姝者子[4]，何以畀之[5]？

孑孑干旟[6]，在浚之都[7]。素丝组之[8]，良马五之。彼姝者子，何以予之？

孑孑干旌[9]，在浚之城。素丝祝之[10]，良马六之。彼姝者子，何以告之？

【注释】

①孑（jié）孑：高举的样子。干旄（máo）：以牦牛尾饰旗杆，立于车后，以状威仪。②浚：地名。③纰（pí）：连缀。在衣冠或旗帜上镶边。④姝（shū）：美好。⑤畀（bì）：给，予。⑥旟（yú）：画有鸟隼的旗。⑦都：下邑，近城。⑧组：编织。⑨干旌（jīng）：将长尾野鸡毛设于旗干之首。⑩祝："属"的假借字，编连缝合。

载驰

载驰载驱①，归唁卫侯②。驱马悠悠，言至于漕③。大夫跋涉，我心则忧。

既不我嘉④，不能旋反。视尔不臧⑤，我思不远⑥。既不我嘉，不能旋济。视尔不臧，我思不閟⑦。

陟彼阿丘，言采其蝱⑧。女子善怀⑨，亦各有行⑩。许人尤之⑪，众稚且狂⑫。

我行其野，芃芃其麦⑬。控于大邦，谁因谁极？

大夫君子，无我有尤。百尔所思，不如我所之。

【注释】

①驰、驱：孔疏："走马谓之驰，策马谓之驱。"②唁（yàn）：向死者家属表示慰问。卫侯：指已死的卫戴公申，即作者之兄。③漕：地名。④嘉：赞许。⑤视：比较。臧：好，善。⑥远：忘。⑦閟（bì）：同"闭"，闭塞不通。⑧蝱（méng）：贝母草。⑨怀：怀念。⑩行：指道理、准则，一说道路。⑪尤：责怪。⑫众：一说通"终"，既。一说指"众人"，即许地众人。⑬芃（péng）芃：草长得很茂盛的样子。

卫风

淇奥

瞻彼淇奥[①]，绿竹猗猗[②]。有匪君子[③]，如切如磋，如琢如磨。瑟兮僩兮[④]，赫兮咺兮[⑤]。有匪君子，终不可谖兮[⑥]。

瞻彼淇奥，绿竹青青。有匪君子，充耳琇莹[⑦]，会弁如星[⑧]。瑟兮僩兮，赫兮咺兮。有匪君子，终不可谖兮。

瞻彼淇奥，绿竹如箦[⑨]。有匪君子，如金如锡，如圭如璧[⑩]。宽兮绰兮，猗重较兮[⑪]。善戏谑兮，不为虐兮。

【注释】

①奥：水边深曲的地方。②猗（yī）猗：繁盛而美丽。③匪：通“斐”，有文采。④瑟：仪容庄重。僩（xiàn）：神态威严。⑤咺（xuǎn）：有威仪的样子。⑥谖（xuān）：忘记。⑦充耳：挂在冠冕两旁的饰物，下垂至耳。琇（xiù）莹：似玉的石，用作装饰。⑧会弁（biàn）：指帽子将头发收束得很整齐。⑨箦（zé）：堆积。⑩圭（guī）：玉制的礼器。璧：玉制的礼器，在贵族朝会或祭祀时使用。⑪较：古时车厢两旁作扶手的曲木或铜钩。

考槃

考槃在涧[①]，硕人之宽[②]。独寐寤言[③]，永矢弗谖[④]。

考槃在阿[⑤]，硕人之薖[⑥]。独寐寤歌[⑦]，永矢弗过[⑧]。

考槃在陆[⑨]，硕人之轴[⑩]。独寐寤宿，永矢弗告。

【注释】

①考槃（pán）：指避世隐居。②硕人：形象高大丰满的人，更指

道德的高尚。③寤寐：两字连用，有过日子的意思。④矢：同“誓”。谖（xuān）：忘却。⑤阿：山阿，山凹进去的地方。一说山坡。⑥薖（kē）：宽大。⑦歌：与第一章的“言”、第三章的“宿”一样，泛指隐居者的行为。⑧过：忘记。⑨陆：高平曰陆。一说土丘。⑩轴：徘徊往复，自由自在。

硕人①

硕人其颀②，衣锦褧衣③。齐侯之子④，卫侯之妻⑤。东宫之妹⑥，邢侯之姨⑦，谭公维私⑧。

手如柔荑⑨，肤如凝脂⑩。领如蝤蛴⑪，齿如瓠犀⑫。螓首蛾眉⑬，巧笑倩兮⑭，美目盼兮⑮。

硕人敖敖⑯，说于农郊⑰。四牡有骄⑱，朱幩镳镳⑲。翟茀以朝⑳，大夫夙退㉑，无使君劳。

河水洋洋㉒，北流活活㉓。施罛濊濊㉔，鳣鲔发发㉕。葭菼揭揭㉖，庶姜孽孽㉗，庶士有朅㉘。

【注释】

①硕人：高大的美人。②颀（qí）：修长。③褧（jiǒng）：麻布罩衣。④齐侯：指齐庄公。⑤卫侯：指卫庄公。⑥东宫：太子居处。⑦邢：春秋国名。⑧谭：春秋国名。⑨柔荑（tí）：白茅柔嫩之芽。⑩凝脂：凝结的油脂。⑪蝤蛴（qiú qí）：天牛的幼虫，色白身长。⑫瓠犀（hù xī）：葫芦籽儿，色白，排列整齐。⑬螓（qín）首：形容前额丰满开阔。⑭倩：嘴角现出酒窝好看的样子。⑮盼：眼珠转动，一说眼睛黑白分明。⑯敖敖：修长高大貌。⑰说（shuì）：通“税”，停车。⑱四牡：驾车的四匹雄马。有骄：强壮的样子。“有”是虚字，无实义。⑲朱幩（fén）：用红绸布缠饰的马嚼子。镳（biāo）镳：盛美的样子。⑳翟茀（dí fú）以朝：乘坐以雉羽为饰的车轿去拜见卫庄公。㉑夙退：早早退朝。㉒河水：此处特指黄河。㉓活活：水流声。㉔罛（gū）：大的

渔网。涉（huò）涉：撒网入水声。㉕鳣（zhān）：黄鱼。鲔（wěi）：鲟鱼。发（bō）发：鱼尾击水之声。㉖揭揭：很长的样子。㉗孽孽：高大的样子。㉘有朅（qiè）：勇武。

氓

氓之蚩蚩[①]，抱布贸丝[②]。匪来贸丝，来即我谋。送子涉淇，至于顿丘。匪我愆期[③]，子无良媒。将子无怒[④]，秋以为期。

乘彼垝垣，以望复关。不见复关，泣涕涟涟。既见复关，载笑载言。尔卜尔筮[⑤]，体无咎言[⑥]。以尔车来，以我贿迁。

桑之未落，其叶沃若[⑦]。于嗟鸠兮，无食桑葚。于嗟女兮，无与士耽[⑧]。士之耽兮，犹可说也[⑨]。女之耽兮，不可说也。

桑之落矣，其黄而陨。自我徂尔[⑩]，三岁食贫。淇水汤汤，渐车帷裳[⑪]。女也不爽[⑫]，士贰其行[⑬]。士也罔极，二三其德[⑭]。

三岁为妇，靡室劳矣[⑮]。夙兴夜寐，靡有朝矣。言既遂矣[⑯]，至于暴矣。兄弟不知，咥其笑矣[⑰]。静言思之，躬自悼矣。

及尔偕老，老使我怨。淇则有岸，隰则有泮。总角之宴，言笑晏晏。信誓旦旦，不思其反。反是不思，亦已焉哉。

【注释】

①氓：指流亡之民。蚩（chī）蚩：老实的样子。②布：古代货币。③愆（qiān）：延误。④将（qiāng）：愿，请。⑤筮（shì）：用蓍草占吉凶。

⑥体：卜筮所得卦象。咎言：不吉之言。⑦沃若：像水浸润过一样有光泽。⑧耽：迷恋。⑨说：通“脱”。⑩徂（cú）尔：往。⑪渐（jiān）：沾湿。⑫爽：差错。⑬贰：同“忒”，差错。⑭二三其德：三心二意。⑮室劳：家务劳动。⑯遂：久，一说成。⑰咥（xì）：讥笑。

竹竿

籊籊竹竿①，以钓于淇。岂不尔思，远莫致之。
泉源在左，淇水在右。女子有行，远父母兄弟。
淇水在右，泉源在左。巧笑之瑳②，佩玉之傩③。
淇水滺滺④，桧楫松舟。驾言出游，以写我忧⑤。

【注释】

①籊（tì）籊：长而尖的样子。②瑳（cuō）：露齿巧笑状。③傩（nuó）：行动有节奏的样子。④滺（yóu）滺：河水荡漾之状。⑤写：通“泻”，排解。

芄兰

芄兰之支①，童子佩觿②。虽则佩觿，能不我知③？容兮遂兮④，垂带悸兮⑤！

芄兰之叶，童子佩韘⑥。虽则佩韘，能不我甲⑦？容兮遂兮，垂带悸兮！

【注释】

①芄（wán）兰：草名。亦名萝藦。②觿（xī）：象骨制的解结用具，形同锥。③能：宁，岂。知：接。④容、遂：舒缓悠闲之貌。⑤悸：原指心动，此处指衣带摆动貌。⑥韘（shè）：象骨制的钩弦用具，套于右手拇指，射

箭时用于钩弦。⑦甲：借作“狎”，亲昵。

河广

谁谓河广，一苇杭之①。谁谓宋远，跂予望之②。
谁谓河广，曾不容刀③。谁谓宋远，曾不崇朝④。

【注释】

①杭：通“航”，渡过。②跂（qǐ）：踮起脚后跟。予：而。③曾（céng）：乃，竟。刀：通“舠”，小船。④崇朝（zhāo）：从天亮到吃早餐的时间，形容时间很短。

伯兮

伯兮朅兮①，邦之桀兮②。伯也执殳③，为王前驱。
自伯之东，首如飞蓬。岂无膏沐④，谁适为容⑤。
其雨其雨，杲杲出日⑥。愿言思伯，甘心首疾。
焉得谖草⑦，言树之背⑧。愿言思伯，使我心痗⑨。

【注释】

①朅（qiè）：英武高大。②桀：同“杰”。③殳（shū）：古兵器。④膏：妇女润发的油脂。⑤适：悦。⑥杲（gǎo）杲：太阳明亮的样子。⑦谖（xuān）草：即萱草，又名忘忧草，俗称黄花菜。⑧背：屋子北面。⑨痗（mèi）：忧思成病。

有狐

有狐绥绥①，在彼淇梁②。心之忧矣，之子无裳③。

有狐绥绥，在彼淇厉[4]。心之忧矣，之子无带。

有狐绥绥，在彼淇侧。心之忧矣，之子无服。

【注释】

①绥绥：朱熹《诗集传》训为独行求匹貌。②梁：桥。③之子：这个人。④厉：水深及腰，可以涉过之处。

木瓜

投我以木瓜[1]，报之以琼琚[2]。匪报也[3]，永以为好也。

投我以木桃[4]，报之以琼瑶。匪报也，永以为好也。

投我以木李[5]，报之以琼玖。匪报也，永以为好也。

【注释】

①木瓜：一种落叶灌木。②琼琚（jū）：美玉，与下面的“琼瑶”“琼玖”意思相同。③匪：非。④木桃：果名，即楂（zhā）子，比木瓜小。⑤木李：果名，又名木梨。

王风

黍离

彼黍离离[1]，彼稷之苗[2]。行迈靡靡[3]，中心摇摇[4]。知我者，谓我心忧。不知我者，谓我何求。悠悠苍天，此何人哉？

彼黍离离，彼稷之穗。行迈靡靡，中心如醉。知我者，谓我心忧。不知我者，谓我何求。悠悠苍天，此何人哉？

彼黍离离，彼稷之实。行迈靡靡，中心如噎。知我者，谓我心忧。不知我者，谓我何求。悠悠苍天，此何人哉？

【注释】

①离离：繁茂。②稷（jì）：高粱。③靡靡：行步迟缓貌。④摇摇：形容心神不安。

君子于役

君子于役，不知其期。曷至哉？鸡栖于埘[①]，日之夕矣，羊牛下来。君子于役，如之何勿思？

君子于役，不日不月。曷其有佸[②]？鸡栖于桀，日之夕矣，羊牛下括[③]。君子于役，苟无饥渴[④]！

【注释】

①埘（shí）：在墙壁上挖洞做成的鸡舍。②佸（huó）：聚会。③括：至。④苟：表推测的语气词，大概，也许。

君子阳阳

君子阳阳[①]，左执簧[②]，右招我由房[③]。其乐只且[④]！

君子陶陶[⑤]，左执翿[⑥]，右招我由敖[⑦]。其乐只且！

【注释】

①君子：指舞师。②簧：古乐器名，竹制。③由房：一种房中之乐。④只且（jū）：语助词。⑤陶陶：和乐舒畅貌。⑥翿（dào）：歌舞所用道具，用五彩野鸡羽毛做成，扇形。⑦由敖：舞曲名。

扬之水

扬之水[1]，不流束薪[2]。彼其之子[3]，不与我戍申[4]。怀哉怀哉[5]，曷月予还归哉[6]？

扬之水，不流束楚。彼其之子，不与我戍甫。怀哉怀哉，曷月予还归哉？

扬之水，不流束蒲。彼其之子，不与我戍许。怀哉怀哉，曷月予还归哉？

【注释】

①扬之水：平缓流动之水。②束薪：成捆的柴薪。③彼其：那个。④戍申：在申地边境防守。⑤怀：平安，一说思念、怀念。⑥曷：何。

中谷有蓷

中谷有蓷[1]，暵其干矣[2]。有女仳离[3]，嘅其叹矣。嘅其叹矣，遇人之艰难矣！

中谷有蓷，暵其脩矣[4]。有女仳离，条其歗矣[5]。条其歗矣，遇人之不淑矣！

中谷有蓷，暵其湿矣[6]。有女仳离，啜其泣矣。啜其泣矣，何嗟及矣！

【注释】

①中谷：同“谷”中，山谷之中。蓷（tuī）：益母草。②暵（hàn）：干枯。③仳（pǐ）离：妇女被夫家抛弃逐出，后世亦作离婚讲。④脩：干燥。⑤条：失意的样子。歗（xiào）：同“啸”。⑥湿：将要晒干的样子。

兔爰

有兔爰爰[①]，雉离于罗[②]。我生之初，尚无为[③]；我生之后，逢此百罹[④]。尚寐无吪[⑤]！

有兔爰爰，雉离于罦[⑥]。我生之初，尚无造[⑦]；我生之后，逢此百忧。尚寐无觉[⑧]！

有兔爰爰，雉离于罿[⑨]。我生之初，尚无庸[⑩]；我生之后，逢此百凶。尚寐无聪！

【注释】

①爰（yuán）："缓"之借用，逍遥自在的样子。②离：同"罹"，陷，遭难。③为：指军役之事。④罹（lí）：忧。⑤吪（é）：行动。⑥罦（fú）：一种装设机关的网，能捕鸟兽。⑦造：指兵役。⑧觉：清醒。⑨罿（tóng）：捕鸟兽的网。⑩庸：指兵役。

葛藟

绵绵葛藟[①]，在河之浒[②]。终远兄弟[③]，谓他人父。谓他人父，亦莫我顾。

绵绵葛藟，在河之涘。终远兄弟，谓他人母。谓他人母，亦莫我有[④]。

绵绵葛藟，在河之漘。终远兄弟，谓他人昆[⑤]。谓他人昆，亦莫我闻[⑥]。

【注释】

①绵绵：连绵不绝。葛藟（lěi）：葛藤。②浒（hǔ）：水边。与下文"涘（sì）""漘（chún）"同义。③终：既，已。④有（yòu）：通"佑"，帮

助。⑤昆：兄。⑥闻（wèn）：通“问”。

采葛

彼采葛兮，一日不见，如三月兮。
彼采萧兮[①]，一日不见，如三秋兮。
彼采艾兮，一日不见，如三岁兮。

【注释】

①萧：植物名。有香气，古时用于祭祀。

大车

大车槛槛[①]，毳衣如菼[②]。岂不尔思，畏子不敢。
大车啍啍[③]，毳衣如璊[④]。岂不尔思，畏子不奔。
穀则异室[⑤]，死则同穴。谓予不信，有如皦日[⑥]！

【注释】

①槛（kǎn）槛：车轮的响声。②毳（cuì）：毡子。菼（tǎn）：芦苇的一种。此处以之喻毳的颜色。③啍（tūn）啍：重滞徐缓的样子。④璊（mén）：红色美玉，此处喻红色车篷。⑤穀（gǔ）：活着。⑥皦（jiǎo）：同“皎”，白。

丘中有麻

丘中有麻[①]，彼留子嗟[②]。彼留子嗟，将其来施[③]。
丘中有麦，彼留子国[④]。彼留子国，将其来食。
丘中有李，彼留之子。彼留之子，贻我佩玖[⑤]。

【注释】

①麻：植物名，古时种植以其皮织布做衣。②留：留下。③施（yí）：慢行貌，一说高兴貌。④子国：《毛传》说为子嗟之父。⑤玖（jiǔ）：玉一类的美石。

郑风

缁衣

缁衣之宜兮①，敝②，予又改为兮。适子之馆兮③，还，予授子之粲兮④。

缁衣之好兮，敝，予又改造兮。适子之馆兮，还，予授子之粲兮。

缁衣之席兮⑤，敝，予又改作兮。适子之馆兮，还，予授子之粲兮。

【注释】

①缁（zī）衣：黑色的衣服。②敝：坏。③适：往。馆：官舍。④粲（càn）：形容新衣鲜明的样子。⑤席：宽大舒适。

将仲子

将仲子兮①，无逾我里②，无折我树杞③。岂敢爱之④，畏我父母。仲可怀也，父母之言，亦可畏也。

将仲子兮，无逾我墙，无折我树桑。岂敢爱之，畏我诸兄。仲可怀也，诸兄之言，亦可畏也。

将仲子兮，无逾我园，无折我树檀。岂敢爱之，畏人之多言。仲可怀也，人之多言，亦可畏也。

【注释】

①仲子：相当于二哥。②逾：翻越。③树：种植。杞（qǐ）：树名。④爱：吝惜。

叔于田

叔于田[①]，巷无居人。岂无居人，不如叔也，洵美且仁[②]。

叔于狩，巷无饮酒。岂无饮酒，不如叔也，洵美且好。

叔适野，巷无服马[③]。岂无服马，不如叔也，洵美且武。

【注释】

①叔：古代兄弟次序为伯、仲、叔、季，年岁较小者统称为叔，此处指年轻的猎人。②洵：的确。③服马：骑马之人。一说用马驾车。

大叔于田

大叔于田[①]，乘乘马[②]。执辔如组[③]，两骖如舞[④]。叔在薮[⑤]，火烈具举[⑥]。襢裼暴虎[⑦]，献于公所。将叔无狃[⑧]，戒其伤女。

叔于田，乘乘黄。两服上襄[⑨]，两骖雁行。叔在薮，火烈具扬。叔善射忌，又良御忌[⑩]。抑磬控忌[⑪]，抑纵送忌[⑫]。

叔于田，乘乘鸨[⑬]。两服齐首，两骖如手。叔在薮，火烈具阜[⑭]。叔马慢忌，叔发罕忌。抑释掤忌[⑮]，抑鬯弓忌[⑯]。

【注释】

①田：同“畋”，打猎。②乘（chéng）乘（shèng）马：驾着拉一乘车的四马。古时一车四马叫一乘。③组：织带平行排列的经线。④骖（cān）：驾车的四马中外侧两边的马。⑤薮（sǒu）：多草木的沼泽地带。⑥烈：“迾”的假借。火迾指打猎时放火烧草，截断野兽的逃路。⑦襢裼（tǎn tì）：脱衣袒身。暴：通“搏”。⑧狃（niǔ）：反复地做，此处指猎手自以为技术熟练而心生大意。⑨服：驾车的四马中间的两匹。襄：同“骧”，奔马抬起头。⑩忌：作语尾助词。⑪罄（qìng）控：勒马使缓行或停步。⑫纵送：放马奔跑。⑬鸨（bǎo）：有黑白杂毛的马。⑭阜：旺盛。⑮掤（bīng）：箭筒盖。⑯鬯（chàng）：弓囊，此处用作动词。

清人

清人在彭①，驷介旁旁②。二矛重英③，河上乎翱翔。
清人在消④，驷介麃麃⑤。二矛重乔⑥，河上乎逍遥。
清人在轴⑦，驷介陶陶⑧。左旋右抽⑨，中军作好⑩。

【注释】

①清：郑国之邑。彭：郑国地名，在黄河边上。②旁旁：马强壮有力貌。③重英：两层矛上的缨饰。④消：黄河边上的郑国地名。⑤麃（biāo）麃：英勇威武貌。⑥乔：借为“鹞（jiāo）”，长尾野鸡，此指以鹞羽为矛缨。⑦轴：地名。⑧陶陶：驱驰貌。⑨旋：转。抽：拔刀。⑩中军：古三军为上军、中军、下军，中军之将为主帅。作好：指武艺高强。

羔裘

羔裘如濡①，洵直且侯②。彼其之子，舍命不渝③。
羔裘豹饰④，孔武有力。彼其之子，邦之司直⑤。

羔裘晏兮[6]，三英粲兮[7]。彼其之子，邦之彦兮[8]。

【注释】

①羔裘：羔羊皮裘，古大夫的朝服。濡（rú）：柔软而有光泽。②洵：信，诚然，的确。侯：美。③渝：改变。④豹饰：用豹皮装饰皮袄的袖口。⑤司直：负责劝谏君主过失的官吏。⑥晏：鲜盛貌。⑦三英：装饰袖口的三道豹皮镶边。⑧彦：才德出众的人。

遵大路

遵大路兮，掺执子之袪兮[1]。无我恶兮，不寁故也[2]！
遵大路兮，掺执子之手兮。无我魗兮[3]，不寁好也[4]！

【注释】

①掺（shǎn）：执。袪（qū）：袖口。②寁（jié）：迅速。③魗（chǒu）：弃。④好（hào）：相。

女曰鸡鸣

女曰鸡鸣，士曰昧旦[1]。子兴视夜[2]，明星有烂[3]。将翱将翔，弋凫与雁[4]。

弋言加之[5]，与子宜之[6]。宜言饮酒，与子偕老。琴瑟在御[7]，莫不静好。

知子之来之[8]，杂佩以赠之。知子之顺之，杂佩以问之[9]。知子之好之，杂佩以报之。

【注释】

①昧旦：天色将明未明之际。②兴：起。③明星：即星明，星光明亮。

④弋：用生丝做绳，系在箭上射鸟。凫（fú）：野鸭。⑤加：射中。⑥宜：即“肴”，烹饪菜肴。⑦御：用，弹奏。⑧来：殷勤体贴之意。⑨问：赠送。

有女同车

有女同车，颜如舜华①。将翱将翔，佩玉琼琚②。彼美孟姜③，洵美且都④。

有女同行，颜如舜英。将翱将翔，佩玉将将。彼美孟姜，德音不忘。

【注释】

①舜华：植物名，即木槿花。②琼琚：美玉。③孟姜：《毛传》说是齐之长女。排行最大的称孟，姜则是齐国的国姓。后孟姜也用作美女的通称。④洵：确实。都：娴雅。

山有扶苏

山有扶苏①，隰有荷华②。不见子都③，乃见狂且④。

山有桥松⑤，隰有游龙⑥。不见子充⑦，乃见狡童⑧。

【注释】

①扶苏：树木名。②隰（xí）：洼地。③子都：古代美男子。④狂：狂妄的人。⑤桥：通“乔”，高大。⑥游龙：水草名。即水红。⑦子充：古代良人名。⑧狡童：狡狯的少年。

萚兮

萚兮萚兮①，风其吹女②。叔兮伯兮，倡予和女③。

萚兮萚兮，风其漂女[4]。叔兮伯兮，倡予要女[5]。

【注释】

①萚（tuò）：脱落的木叶。②女（rǔ）：同“汝”。③倡：同“唱”。④漂：同“飘”。⑤要（yāo）：邀请。

狡童

彼狡童兮，不与我言兮。维子之故[1]，使我不能餐兮。

彼狡童兮，不与我食兮。维子之故，使我不能息兮。

【注释】

①维：因为。

褰裳

子惠思我[1]，褰裳涉溱[2]。子不我思[3]，岂无他人，狂童之狂也且[4]！

子惠思我，褰裳涉洧[5]。子不我思，岂无他士，狂童之狂也且！

【注释】

①惠：见爱，即爱我。②褰（qiān）裳：提起下衣。溱（zhēn）：郑国水名。③不我思：不思念我。④狂童：谑称，犹言“傻小子”。⑤洧（wěi）：郑国水名。

丰

子之丰兮[1]，俟我乎巷兮[2]，悔予不送兮[3]！

子之昌兮[4]，俟我乎堂兮，悔予不将兮[5]！
衣锦褧衣[6]，裳锦褧裳。叔兮伯兮，驾予与行。
裳锦褧裳，衣锦褧衣。叔兮伯兮，驾予与归。

【注释】

①丰：丰满，标致。②俟（sì）：等候。③送：从行。④昌：健壮。⑤将：同行。⑥衣：作动词用，穿。褧（jiǒng）衣：用绢或麻纱制作的罩衫。

东门之墠

东门之墠[1]，茹藘在阪[2]。其室则迩[3]，其人甚远。
东门之栗，有践家室[4]。岂不尔思，子不我即。

【注释】

①墠（shàn）：土坪，铲平的地。②茹藘（lú）：草名。③迩（ěr）：近。④有践：同“践践”，行列整齐的样子。

风雨

风雨凄凄，鸡鸣喈喈[1]，既见君子。云胡不夷[2]。
风雨潇潇，鸡鸣胶胶[3]。既见君子，云胡不瘳[4]。
风雨如晦，鸡鸣不已。既见君子，云胡不喜。

【注释】

①喈（jiē）喈：鸡鸣声。②夷：平，此处指心中平静。③胶胶：或作“嘐嘐”，鸡鸣声。④瘳（chōu）：病愈，此处是指愁思满怀的心病消除。

子衿

青青子衿[1]，悠悠我心。纵我不往，子宁不嗣音[2]？
青青子佩[3]，悠悠我思。纵我不往，子宁不来？
挑兮达兮[4]，在城阙兮。一日不见，如三月兮！

【注释】

①衿：襟，衣领。②嗣音：传音讯。③佩：这里指系佩玉的绶带。④挑、达：走来走去的样子。也作“佻”“佌”。

扬之水

扬之水[1]，不流束楚。终鲜兄弟[2]，维予与女。无信人之言，人实迋女。

扬之水，不流束薪。终鲜兄弟，维予二人。无信人之言，人实不信。

【注释】

①扬：激扬。②鲜（xiǎn）：缺少。

出其东门

出其东门[1]，有女如云。虽则如云，匪我思存。缟衣綦[2]巾，聊乐我员[3]。

出其闉阇[4]，有女如荼[5]。虽则如荼，匪我思且。缟衣茹藘[6]，聊可与娱。

【注释】

①东门：城东门。②缟（gǎo）：白色。綦（qí）巾：暗绿色头巾。③聊：愿。员：同“云”，语助词。④闉阇（yīn dū）：外城门。⑤荼（tú）：茅花，白色。⑥茹藘：茜草，其根可制作绛红色染料，此指绛红色蔽膝。

野有蔓草

野有蔓草[1]，零露漙兮[2]。有美一人，清扬婉兮[3]。邂逅相遇，适我愿兮。

野有蔓草，零露瀼瀼[4]。有美一人，婉如清扬。邂逅相遇，与子偕臧[5]。

【注释】

①蔓（màn）：蔓延生长的草。②漙（tuán）：形容露水很多。③清扬：此处形容眉目漂亮传神。④瀼（ráng）：形容露水很浓。⑤臧：善。这里指彼此都满意。

溱洧

溱与洧[1]，方涣涣兮[2]。士与女[3]，方秉蕑兮[4]。女曰观乎，士曰既且[5]。且往观乎，洧之外，洵訏且乐[6]。维士与女，伊其相谑，赠之以勺药。

溱与洧，浏其清矣[7]。士与女，殷其盈矣。女曰观乎，士曰既且。且往观乎，洧之外，洵訏且乐。维士与女，伊其将谑[8]，赠之以勺药。

【注释】

①溱（zhēn）、洧（wěi）：郑国二水名。②涣涣：河水解冻后的奔腾之貌。③士与女：此处泛指男男女女。④秉：执。蕑（jiān）：一种兰草。⑤且（cú）：同“徂”，去，往。⑥洵：诚然，确实。讦（xū）：广阔。⑦浏：水深而清之状。⑧将：即“相”。

齐风

鸡鸣

鸡既鸣矣，朝既盈矣[①]。匪鸡则鸣[②]，苍蝇之声。

东方明矣，朝既昌矣[③]。匪东方则明，月出之光。

虫飞薨薨[④]，甘与子同梦。会且归矣[⑤]，无庶予子憎[⑥]。

【注释】

①朝既盈矣：上朝堂的官员已满。②匪：同“非”。③昌：盛，意指人多。④薨（hōng）薨：飞虫的振翅声。⑤会：会朝，上朝。⑥无庶：同“庶无”。庶：希望。

还

子之还兮[①]，遭我乎猛之间兮[②]。并驱从两肩兮[③]，揖我谓我儇兮[④]。

子之茂兮[⑤]，遭我乎猛之道兮。并驱从两牡兮[⑥]，揖我谓我好兮。

子之昌兮[⑦]，遭我乎猺之阳兮。并驱从两狼兮，揖我谓我臧兮[⑧]。

【注释】

①还：通旋，轻捷貌。②猺（náo）：齐国山名。③肩：借为“豜（jiān）”，大兽。④儇（xuān）：轻快便捷。⑤茂：美，此处指善猎。⑥牡：公兽。⑦昌：指强有力。⑧臧：善，好。

著

俟我于著乎而[①]，充耳以素乎而，尚之以琼华乎而[②]！
俟我于庭乎而，充耳以青乎而，尚之以琼莹乎而！
俟我于堂乎而，充耳以黄乎而，尚之以琼英乎而！

【注释】

①著：古代富贵人家正门内有屏风，正门与屏风之间叫著。②尚：加上。

东方之日

东方之日兮，彼姝者子[①]，在我室兮。在我室兮，履我即兮[②]。

东方之月兮，彼姝者子，在我闼兮[③]。在我闼兮，履我发兮[④]。

【注释】

①姝（shū）：貌美。②履：放轻脚步。即：接近。③闼（tà）：内门。④发：走去，指蹑步相随。

东方未明

东方未明，颠倒衣裳[1]。颠之倒之，自公召之。
东方未晞[2]，颠倒裳衣。倒之颠之，自公令之。
折柳樊圃[3]，狂夫瞿瞿[4]。不能辰夜，不夙则莫。

【注释】

①衣裳：古时上衣叫衣，下衣叫裳。②晞（xī）："昕"的假借，破晓，天刚亮。③樊：篱笆。圃：菜园。④狂夫：指监工。瞿（jù）瞿：瞪视貌。

南山

南山崔崔[1]，雄狐绥绥[2]。鲁道有荡，齐子由归[3]。既曰归止，曷又怀止？

葛屦五两[4]，冠緌双止[5]。鲁道有荡，齐子庸止。既曰庸止，曷又从止？

艺麻如之何[6]，衡从其亩。取妻如之何，必告父母。既曰告止，曷又鞠止[7]？

析薪如之何，匪斧不克。取妻如之何，匪媒不得。既曰得止，曷又极止？

【注释】

①南山：齐国山名。崔崔：山势高峻状。②绥（suí）绥：缓缓行走的样子。③齐子：齐国的女儿。由归：从这儿出嫁。④葛屦（jù）：麻、葛等制成的单底鞋。⑤緌（ruí）：帽带下垂的部分。⑥艺：种植。⑦鞠（jū）：放任无束。

甫田

无田甫田[①]，维莠骄骄[②]。无思远人，劳心忉忉[③]。
无田甫田，维莠桀桀。无思远人，劳心怛怛。
婉兮娈兮[④]。总角丱兮。未几见兮，突而弁兮[⑤]。

【注释】

①无田甫田：不要耕种大田。②莠（yǒu）：狗尾草。③忉（dāo）忉：心有所失的样子。④婉、娈：毛传："婉娈，少好貌。"⑤弁（biàn）：成人的帽子。

卢令

卢令令[①]，其人美且仁[②]。
卢重环[③]，其人美且鬈[④]。
卢重鋂[⑤]，其人美且偲[⑥]。

【注释】

①卢：黑毛猎犬。②其人：指猎人。③重（chóng）环：大环套小环。④鬈（quán）：勇壮。⑤鋂（méi）：一个大环套两个小环。⑥偲（cāi）：多才多智。

敝笱

敝笱在梁[①]，其鱼鲂鳏[②]。齐子归止[③]，其从如云。
敝笱在梁，其鱼鲂鱮[④]。齐子归止，其从如雨。
敝笱在梁，其鱼唯唯[⑤]。齐子归止，其从如水。

【注释】

①敝：破。笱（gǒu）竹制的捕鱼器具。②鲂（fáng）鳏（guān）：鳊鱼和鲲鱼。③齐子：指文姜。④鲊（xù）：鲢鱼。⑤唯唯：形容鱼儿出入自如。

载驱

载驱薄薄①，簟茀朱鞹②。鲁道有荡，齐子发夕③。
四骊济济④，垂辔沵沵⑤。鲁道有荡，齐子岂弟⑥。
汶水汤汤⑦，行人彭彭⑧。鲁道有荡，齐子翱翔⑨。
汶水滔滔，行人儦儦⑩。鲁道有荡，齐子游敖。

【注释】

①薄薄：象声词，形容马蹄和车轮的转动声。②簟茀（diàn fú）：遮盖车子的方纹竹帘。③齐子：指文姜。发夕：傍晚出发。④骊（lí）：黑马。⑤沵（nǐ）沵：柔软状。⑥岂弟（kǎi tì）：天亮才出发。⑦汶水：流经齐鲁两国的水名。⑧彭彭：众多貌。⑨翱翔：遨游。⑩儦（biāo）儦：行人往来貌。

猗嗟

猗嗟昌兮①，颀而长兮。抑若扬兮②。美目扬兮，巧趋跄兮③，射则臧兮④。

猗嗟名兮⑤，美目清兮，仪既成兮。终日射侯⑥，不出正兮⑦，展我甥兮⑧。

猗嗟娈兮⑨，清扬婉兮，舞则选兮⑩。射则贯兮⑪，四矢反兮，以御乱兮。

【注释】

①猗嗟：叹美之词。②抑：通“懿”，美好。③趋跄：快步走。④臧：善。⑤名：马瑞辰《毛诗传笺通释》：“名、明，古通用，名当读明，明亦昌盛之意。”⑥侯：古代赛射或习射时用的箭靶。⑦正（zhēng）：箭靶中心的圆形布块。⑧展：诚然，真是。⑨娈：美好。与下句“婉”字义同。⑩选：指齐乐善舞。⑪贯：射中。

魏风

葛屦

纠纠葛屦[①]，可以履霜？掺掺女手[②]，可以缝裳？要之襋之[③]，好人服之。

好人提提[④]，宛然左辟[⑤]，佩其象揥[⑥]。维是褊心[⑦]，是以为刺。

【注释】

①纠纠：缠绕，纠结交错。②掺掺：同“纤纤”，形容女子的手柔弱纤细。③要（yāo）：衣服齐腰处。襋（jí）：衣领。④提提：同“媞媞”，安舒貌。⑤辟（bì）：同“避”。左辟即左避。⑥象揥（tì）：象牙做的簪子。⑦褊（biǎn）心：心胸狭窄。

汾沮洳

彼汾沮洳[①]，言采其莫[②]。彼其之子，美无度。美无度，殊异乎公路[③]。

彼汾一方，言采其桑。彼其之子，美如英。美如英，殊异乎公行[④]。

彼汾一曲，言采其荬[⑤]。彼其之子，美如玉。美如玉，殊异乎公族[⑥]。

【注释】

①汾：汾水。沮洳（jù rù）：水边低湿的地方。②莫：野菜名。③公路：指当时管理路车的官员，通常由贵族子弟担任，职务、俸禄均世袭。“公行”“公族”亦如此。④公行（háng）：指当时管理兵车的官员。⑤荬（xù）：即泽泻草。⑥公族：指当时管理宗族事务的官员。

园有桃

园有桃，其实之肴[①]。心之忧矣[②]，我歌且谣[③]。不知我者，谓我士也骄。彼人是哉[④]？子曰何其？心之忧矣，其谁知之。其谁知之，盖亦勿思[⑤]。

园有棘，其实之食。心之忧矣，聊以行国[⑥]。不知我者，谓我士也罔极。彼人是哉，子曰何其？心之忧矣，其谁知之。其谁知之，盖亦勿思。

【注释】

①之：是。肴：食。②之：其。③歌、谣：曲合乐曰歌，徒歌曰谣，此处皆作动词用。④是：对，正确。⑤盖（hé）：通“盍”，何不。⑥行国：离开城邑。

陟岵

陟彼岵兮[①]，瞻望父兮。父曰嗟，予子行役，夙夜无已。上慎旃哉[2]，犹来无止[3]。

陟彼屺兮[4]，瞻望母兮。母曰嗟，予季行役，夙夜无寐。上慎旃哉，犹来无弃。

陟彼冈兮，瞻望兄兮。兄曰嗟，予弟行役，夙夜必偕。上慎旃哉，犹来无死。

【注释】

①陟（zhì）：登上。岵（hù）：有草木的山。②上：通“尚”，希望。③犹来：还是归来。④屺（qǐ）：无草木的山。

十亩之间

十亩之间兮，桑者闲闲兮[1]，行与子还兮。

十亩之外兮，桑者泄泄兮[2]，行与子逝兮。

【注释】

①桑者：采桑的人。②泄泄：和乐的样子。

伐檀

坎坎伐檀兮[1]，置之河之干兮[2]，河水清且涟猗。不稼不穑[3]，胡取禾三百廛兮[4]？不狩不猎，胡瞻尔庭有县貆兮[5]？彼君子兮[6]，不素餐兮[7]！

坎坎伐辐兮，置之河之侧兮，河水清且直猗。不稼不穑，胡取禾三百亿兮？不狩不猎，胡瞻尔庭有县特兮[8]？彼君子兮，不素食兮！

坎坎伐轮兮，置之河之漘兮[9]。河水清且沦猗[10]。不稼不穑，胡取禾三百囷兮？不狩不猎，胡瞻尔庭有县鹑兮？彼君子兮，不素飧兮[11]！

【注释】

①坎坎：伐木声。②置：搁，放。干：水边。③稼：播种。穑（sè）：收获。④胡：为什么。⑤县：古“悬”字。貆（huán）：猪獾。⑥君子：指有地位有权势者，这里是反语。⑦素餐：白吃饭，不劳而获。⑧特：大兽。⑨漘（chún）：水边。⑩沦：小波纹。⑪飧（sūn）：熟食，泛指吃饭。

硕鼠

硕鼠硕鼠[1]，无食我黍[2]。三岁贯女[3]，莫我肯顾。逝将去女[4]，适彼乐土。乐土乐土，爰得我所。

硕鼠硕鼠，无食我麦。三岁贯女，莫我肯德。逝将去女，适彼乐国。乐国乐国，爰得我直。

硕鼠硕鼠，无食我苗。三岁贯女，莫我肯劳。逝将去女，适彼乐郊。乐郊乐郊，谁之永号。

【注释】

①硕鼠：大老鼠。一说田鼠。②无：不要。③三岁：多年。贯：借作“宦”，侍奉。④逝：通“誓”。女：同“汝”。

唐风

蟋蟀

蟋蟀在堂，岁聿其莫[1]。今我不乐，日月其除。无已大康[2]，职思其居。好乐无荒，良士瞿瞿[3]。

蟋蟀在堂，岁聿其逝。今我不乐，日月其迈[4]。无已大康，职思其外。好乐无荒，良士蹶蹶[⑤]。

蟋蟀在堂，役车其休。今我不乐，日月其慆[⑥]。无以大康，职思其忧。好乐无荒，良士休休。

【注释】

①莫（mù）：古“暮”字。②大（tài）康：过于享乐。③瞿（jù）瞿：警惕惊顾貌。④迈：时光流逝。⑤蹶（jué）蹶：勤奋状。⑥慆（tāo）：逝去。

山有枢

山有枢[①]，隰有榆[②]。子有衣裳，弗曳弗娄[③]。子有车马，弗驰弗驱。宛其死矣[④]，他人是愉。

山有栲[⑤]，隰有杻[⑥]。子有廷内[⑦]，弗洒弗扫。子有钟鼓，弗鼓弗考[⑧]。宛其死矣，他人是保[⑨]。

山有漆，隰有栗。子有酒食，何不日鼓瑟？且以喜乐，且以永日[⑩]。宛其死矣，他人入室。

【注释】

①枢（shū）：木名，刺榆。②隰（xí）：低湿之地。③娄：“搂”的借字，牵拉之意。拉与扯都是穿衣的动作。④宛：“苑”的假借字，枯死貌。⑤栲（kǎo）：木名。⑥杻（niǔ）：檍树。⑦廷内：庭院与堂室。⑧考：敲击。⑨保：占有。⑩永日：指整天享乐。

扬之水

扬之水，白石凿凿。素衣朱襮[①]，从子于沃[②]。既见君子[③]，云何不乐。

扬之水，白石皓皓。素衣朱绣，从子于鹄[④]。既见君子，云何其忧。

扬之水，白石粼粼。我闻有命，不敢以告人。

【注释】

①襮（bó）：衣领。②沃：曲沃，地名。③君子：指桓叔。④鹄：邑名，即曲沃。

椒聊

椒聊之实[①]，蕃衍盈升[②]。彼其之子，硕大无朋[③]。椒聊且，远条且[④]！

椒聊之实，蕃衍盈匊[⑤]。彼其之子，硕大且笃。椒聊且，远条且！

【注释】

①椒：花椒。②蕃衍：生长众多。③朋：比。④条：长。⑤匊（jū）："掬"的古字，两手合捧。

绸缪

绸缪束薪[①]，三星在天[②]。今夕何夕，见此良人[③]。子兮子兮，如此良人何？

绸缪束刍[④]，三星在隅。今夕何夕，见此邂逅。子兮子兮，如此邂逅何？

绸缪束楚，三星在户。今夕何夕，见此粲者[⑤]。子兮子兮，如此粲者何？

【注释】

①绸缪（móu）：缠绕。②三星：即参星。③良人：丈夫，指新郎。④刍（chú）：喂牲口的青草。⑤粲：漂亮的人，此处指新娘。

杕杜

有杕之杜[①]，其叶湑湑[②]。独行踽踽。岂无他人，不如我同父[③]。嗟行之人，胡不比焉？人无兄弟，胡不佽焉[④]？

有杕之杜，其叶菁菁。独行睘睘[⑤]。岂无他人，不如我同姓[⑨]。嗟行之人，胡不比焉？人无兄弟，胡不佽焉？

【注释】

①有杕（dì）：即"杕杕"，树木挺立的样子。杜：赤棠。②湑（xǔ）：形容树叶茂盛。③同父：指同胞兄弟。④佽（cì）：资助，帮助。⑤睘（qióng）睘：同"茕茕"，孤独无依的样子。

羔裘

羔裘豹祛[①]，自我人居居[②]。岂无他人，维子之故[③]。

羔裘豹褎[④]，自我人究究[⑤]。岂无他人，维子之好。

【注释】

①祛（qū）：袖口。②自我人：对我们。③故：指爱，或解释为故旧。④褎（xiù）：同"袖"。⑤究究：态度傲慢。

鸨羽

肃肃鸨羽[①]，集于苞栩[②]。王事靡盬[③]，不能艺稷黍[④]。

父母何怙[5]？悠悠苍天，曷其有所[6]？

肃肃鸨翼，集于苞棘。王事靡盬，不能艺黍稷。父母何食？悠悠苍天，曷其有极？

肃肃鸨行，集于苞桑，王事靡盬，不能艺稻粱。父母何尝？悠悠苍天，曷其有常？

【注释】

①肃肃：鸟翅扇动的响声。②苞：草木丛生。栩（xǔ）：柞栎树。③靡：没有。盬（gǔ）：休止。④艺：种植。⑤怙（hù）：依靠。⑥曷：何。所：住所。

无衣

岂曰无衣？七兮[1]。不如子之衣[2]，安且吉兮[3]。

岂曰无衣？六兮。不如子之衣，安且燠兮[4]。

【注释】

①七：虚数，表现衣服之多。②子：第二人称的尊称。此处指制作衣服的人。③安：舒适。吉：美，善。④燠（yù）：温暖。

有杕之杜

有杕之杜[1]，生于道左[2]。彼君子兮，噬肯适我[3]？中心好之，曷饮食之[4]？

有杕之杜，生于道周[5]。彼君子兮，噬肯来游[6]？中心好之，曷饮食之？

【注释】

①杜：杜梨，又名棠梨。②道左：道路左边，古人以东为左。③适：到，往。④曷：同“盍”，何不。⑤周：右边。⑥游：来看。

葛生

葛生蒙楚[1]，蔹蔓于野。予美亡此[2]，谁与独处？
葛生蒙棘，蔹蔓于域[3]。予美亡此，谁与独息？
角枕粲兮[4]，锦衾烂兮。予美亡此，谁与独旦[5]？
夏之日，冬之夜。百岁之后，归于其居[6]。
冬之夜，夏之日。百岁之后，归于其室[7]。

【注释】

①葛：藤本植物。②亡此：死于此处，指死后埋在那里。③域：坟地。④角枕：牛角做的枕头。⑤独旦：独处到天亮。⑥居：坟墓。⑦室：墓冢。

采苓

采苓采苓[1]，首阳之颠[2]。人之为言[3]，苟亦无信。舍旃舍旃[4]，苟亦无然。人之为言，胡得焉！

采苦采苦，首阳之下。人之为言，苟亦无与。舍旃舍旃，苟亦无然。人之为言，胡得焉！

采葑采葑，首阳之东。人之为言，苟亦无从。舍旃舍旃，苟亦无然。人之为言，胡得焉！

【注释】

①苓：一种药草。②首阳：山名。③为（wěi）言：即“伪言”，谎话。④舍旃（zhān）：放弃它吧。

秦风

车邻

有车邻邻[①]，有马白颠[②]。未见君子[③]，寺人之令[④]。

阪有漆[⑤]，隰有栗。既见君子，并坐鼓瑟。今者不乐，逝者其耋。

阪有桑，隰有杨。既见君子，并坐鼓簧。今者不乐，逝者其亡。

【注释】

①邻邻：同“辚辚”，车行声。②颠：额。③君子：对友人的尊称。④寺人：侍者。⑤阪（bǎn）：山坡。

驷驖

驷驖孔阜[①]，六辔在手[②]。公之媚子[③]，从公于狩。

奉时辰牡，辰牡孔硕。公曰左之[④]，舍拔则获。

游于北园，四马既闲。輶车鸾镳[⑤]，载猃歇骄[⑥]。

【注释】

①驖（tiě）：毛色似铁的好马。②辔（pèi）：马缰。③媚子：宠爱的

人。④左之：向左面射箭。⑤辅（yóu）：用于驱赶堵截野兽的轻便车。⑥猃（xiǎn）：长嘴的猎狗。

小戎

小戎俴收①，五楘梁辀②。游环胁驱③，阴靷鋈续④。文茵畅毂⑤，驾我骐馵⑥。言念君子⑦，温其如玉⑧。在其板屋⑨，乱我心曲⑩。

四牡孔阜⑪，六辔在手。骐駵是中，騧骊是骖。龙盾之合，鋈以觼軜。言念君子，温其在邑。方何为期？胡然我念之⑫？

俴驷孔群⑬，厹矛鋈錞⑭。蒙伐有苑⑮，虎韔镂膺⑯。交韔二弓⑰，竹闭绲縢⑱。言念君子，载寝载兴⑲。厌厌良人⑳，秩秩德音。

【注释】

①小戎：兵车。②楘（mù）：用皮革分五处缠在车辕上，起加固和修饰作用。③游环：活动的环。④靷（yǐn）：引车前行的皮革。⑤文茵：有纹饰的虎皮坐垫。⑥骐：青黑色如棋盘格子纹的马。馵（zhù）：左后脚白色的马。⑦君子：此处指从军的丈夫。⑧温其如玉：女子形容丈夫性情温润如玉。⑨板屋：用木板建造的房屋。⑩心曲：心灵深处。⑪牡：公马。⑫胡然：为什么。⑬孔群：很协调。⑭厹（qiú）矛：头有三棱锋刃的长矛。⑮蒙（máng）：画杂乱的羽纹。⑯虎韔（chàng）：虎皮弓囊。⑰交韔二弓：两张弓，一弓向左，一弓向右，交错放在袋中。⑱闭：弓架，用以正弓。⑲载寝载兴：起卧不宁。⑳厌厌：安静柔和的样子。

蒹葭

蒹葭苍苍[1]，白露为霜。所谓伊人[2]，在水一方。溯洄从之[3]，道阻且长。溯游从之，宛在水中央。

蒹葭萋萋，白露未晞[4]。所谓伊人，在水之湄[5]。溯洄从之，道阻且跻。溯游从之，宛在水中坻。

蒹葭采采，白露未已。所谓伊人，在水之涘。溯洄从之，道阻且右。溯游从之，宛在水中沚。

【注释】

①苍苍：鲜明、茂盛貌。下文“萋萋”“采采”义同。②伊人：所思慕的对象。③溯洄：逆流而上。④晞（xī）：干。⑤湄：水和草交接的地方，也就是岸边。

终南

终南何有[1]，有条有梅[2]。君子至止，锦衣狐裘[3]。颜如渥丹[4]，其君也哉？

终南何有，有纪有堂[5]。君子至止，黻衣绣裳[6]。佩玉将将[7]，寿考不忘[8]。

【注释】

①终南：终南山。②条：树名，即山楸。③锦衣狐裘：当时诸侯的礼服。④渥：涂。⑤纪：山角。堂：山上宽平处。⑥黻（fú）衣：黑色青色花纹相间的上衣。⑦将将：同“锵锵”，象声词。⑧考：高寿。

黄鸟

交交黄鸟[①]，止于棘。谁从穆公[②]，子车奄息[③]。维此奄息，百夫之特[④]。临其穴，惴惴其慄。彼苍者天[⑤]，歼我良人！如可赎兮，人百其身[⑥]。

交交黄鸟，止于桑。谁从穆公，子车仲行。维此仲行，百夫之防。临其穴，惴惴其慄。彼苍者天，歼我良人！如可赎兮，人百其身。

交交黄鸟，止于楚。谁从穆公，子车鍼虎。维此鍼虎，百夫之御。临其穴，惴惴其慄。彼苍者天，歼我良人！如可赎兮，人百其身。

【注释】

①交交：鸟鸣声。②从：殉葬。③子车：复姓。奄息：人名。④特：杰出的人才。⑤彼苍者天：悲哀至极的呼号，犹今语"老天呀"。⑥人百其身：愿意死一百次来赎他。

晨风

鴥彼晨风[①]，郁彼北林[②]。未见君子，忧心钦钦[③]。如何如何，忘我实多！

山有苞栎[④]，隰有六驳[⑤]。未见君子，忧心靡乐。如何如何，忘我实多！

山有苞棣[⑥]，隰有树檖[⑦]。未见君子，忧心如醉。如何如何，忘我实多！

【注释】

①鴥（yù）：鸟疾飞的样子。晨风：鸟名，即鹯（zhān）鸟。②郁：形容茂密。③钦钦：忧而不忘之貌。④苞：丛生的样子。⑤六驳：木名。⑥棣：唐棣，也叫郁李。⑦树：形容檖树直立的样子。

无衣

岂曰无衣？与子同袍[①]。王于兴师[②]，修我戈矛。与子同仇！

岂曰无衣？与子同泽。王于兴师，修我矛戟。与子偕作！

岂曰无衣？与子同裳。王于兴师，修我甲兵。与子偕行！

【注释】

①袍：长袍，也就是今天的斗篷。②王：此处指周王。

渭阳

我送舅氏，曰至渭阳[①]。何以赠之，路车乘黄[②]。

我送舅氏，悠悠我思。何以赠之，琼瑰玉佩[③]。

【注释】

①阳：山南水北曰阳。②路车：诸侯之车。③琼瑰：玉之类的美石。

权舆

於我乎[①]！夏屋渠渠[②]。今也每食无余。於嗟乎！不承权舆③。

於我乎！每食四簋④。今也每食不饱。於嗟乎！不承权舆。

【注释】

①於（wū）：叹词。②夏屋：大屋。渠渠：深广的样子。③权舆：原意是草木初发，此处引申为起始。④簋（guǐ）：古代以青铜或陶制作的圆形食器。

陈风

宛丘

子之汤兮①，宛丘之上兮②。洵有情兮③，而无望兮。
坎其击鼓，宛丘之下。无冬无夏，值其鹭羽。
坎其击缶，宛丘之道。无冬无夏，值其鹭翿④。

【注释】

①汤（dàng）："荡"之借字。此处形容舞姿摇摆奔放。②宛丘：陈国丘名。③洵：确实，实在是。④翿（dào）：即诗中的鹭羽，是一种用鹭鸟羽毛制作的伞形舞蹈道具。

东门之枌

东门之枌①，宛丘之栩②。子仲之子③，婆娑其下。
穀旦于差④，南方之原。不绩其麻，市也婆娑⑤。

穀旦于逝，越以鬷迈⑥。视尔如荍⑦，贻我握椒。

【注释】

①枌（fén）：木名。白榆。②栩（xǔ）：柞树。③子：女儿。④穀（gǔ）：好，善。差（chāi）：选择。⑤市：街市。⑥鬷（zōng）：常常。⑦荍（qiáo）：锦葵花。

衡门

衡门之下①，可以栖迟②。泌之洋洋③，可以乐饥④。
岂其食鱼，必河之鲂⑤？岂其取妻，必齐之姜⑥？
岂其食鱼，必河之鲤？岂其取妻，必宋之子⑦？

【注释】

①衡门：衡，通“横”。横木为门。这里指简陋的房屋。②栖迟：栖息，此处指幽会。③泌（bì）：本义为泉水急流之貌，后来指陈国泌丘地方的泉水名。④乐饥：疗饥，充饥。⑤鲂：鳊鱼。⑥姜：齐国的贵族姓氏。⑦子：宋国的贵族姓氏。

东门之池

东门之池，可以沤麻①。彼美淑姬②，可与晤歌③。
东门之池，可以沤纻④。彼美淑姬，可与晤语。
东门之池，可以沤菅⑤。彼美淑姬，可与晤言。

【注释】

①沤麻：长时间用水浸泡大麻、纻麻，使麻皮与麻杆分离。②淑姬：善良的姑娘。③晤歌：用歌声互相唱和。④纻：纻麻。⑤菅（jiān）：菅草。

东门之杨

东门之杨，其叶牂牂[①]。昏以为期[②]，明星煌煌[③]。

东门之杨，其叶肺肺[④]。昏以为期，明星晢晢[⑤]。

【注释】

①牂（zāng）牂：风吹树叶的响声。②期：约定的时间。③明星：启明星。煌煌：光亮貌。④肺（pèi）肺：义同“牂牂”。⑤晢（zhé）晢：义同“煌煌”。

墓门

墓门有棘[①]，斧以斯之[②]。夫也不良[③]，国人知之。知而不已，谁昔然矣[④]。

墓门有梅[⑤]，有鸮萃止[⑥]。夫也不良，歌以讯止[⑦]。讯予不顾，颠倒思予[⑧]。

【注释】

①墓门：墓道的门。②斯：劈开，砍掉。③夫：这个人，指作者讽刺之人。④谁昔：往昔，从前。⑤梅：梅树。⑥鸮：猫头鹰。萃：栖息。⑦讯：借作“谇”（suì），斥责，告诫。⑧颠倒：跌倒。

防有鹊巢

防有鹊巢[①]。邛有旨苕[②]。谁侜予美[③]，心焉忉忉[④]。

中唐有甓[⑤]，邛有旨鹝[⑥]。谁侜予美，心焉惕惕[⑦]。

【注释】

①防：水坝。②邛（qióng）：山丘。③侜（zhōu）：谎言欺骗。④忉（dāo）忉：忧虑状。⑤唐：朝堂前和宗庙门内的大路。甓（pì）：瓦片。⑥鹝（yì）：借为“虉”，绶草。⑦惕惕：提心吊胆状。

月出

月出皎兮，佼人僚兮。舒窈纠兮[1]，劳心悄兮[2]。
月出皓兮，佼人懰兮[3]。舒忧受兮，劳心慅兮[4]。
月出照兮[5]，佼人燎兮[6]。舒夭绍兮，劳心惨兮[7]。

【注释】

①舒：指从容娴雅。窈纠：形容女子行走时体态的曲线美。②劳心：忧心。悄：忧愁状。③懰（liú）：美好。④慅（cǎo）：心神不宁。⑤照：明亮貌。⑥燎：漂亮。⑦惨：《诗经》中常与“懆”通用，同“躁”，焦躁貌。

株林

胡为乎株林[1]？从夏南[2]。匪适株林？从夏南。
驾我乘马，说于株野。乘我乘驹[3]，朝食于株[4]。

【注释】

①胡为：为什么。林：郊野。②从：此处意思是找人。③驹：马高五尺以上、六尺以下称“驹”。④朝食：吃早饭。

泽陂

彼泽之陂[1]，有蒲与荷[2]。有美一人，伤如之何[3]。寤寐无为，涕泗滂沱[4]。

彼泽之陂，有蒲与蕑[5]。有美一人，硕大且卷[6]。寤寐无为，中心悁悁[7]。

彼泽之陂，有蒲菡萏[8]。有美一人，硕大且俨。寤寐无为，辗转伏枕。

【注释】

①泽之陂（bēi）：池塘堤岸。②蒲：香蒲。③伤：因思念而忧伤。④涕泗：眼泪和鼻涕。⑤蕑（jiān）：兰草。⑥卷（quán）：漂亮，美好。⑦悁（yuān）悁：忧伤愁闷的样子。⑧菡萏（hàn dàn）：荷花。

桧风

羔裘

羔裘逍遥[1]，狐裘以朝[2]。岂不尔思，劳心忉忉[3]。
羔裘翱翔，狐裘在堂。岂不尔思，我心忧伤。
羔裘如膏[4]，日出有曜。岂不尔思，中心是悼。

【注释】

①逍遥：悠闲地走来走去。②朝：朝堂。③忉（dāo）忉：忧愁状。④膏：油脂。

素冠

庶见素冠兮[1]，棘人栾栾兮[2]，劳心慱慱兮[3]。
庶见素衣兮，我心伤悲兮，聊与子同归兮。

庶见素韠兮[4]，我心蕴结兮，聊与子如一兮。

【注释】

①庶：幸。②棘：瘦削。栾（luán）栾：形容人体枯肌瘦。③传（tuán）传：忧苦不安。④韠（bì）：即蔽膝，古人服饰，革制，缝在腹下膝上。

隰有苌楚

隰有苌楚[1]，猗傩其枝[2]。夭之沃沃[3]，乐子之无知！
隰有苌楚，猗傩其华。夭之沃沃，乐子之无家！
隰有苌楚，猗傩其实。夭之沃沃，乐子之无室！

【注释】

①隰（xí）：低湿的地方。苌（cháng）楚：猕猴桃。②猗傩（ē nuó）：义同“婀娜”，柔软的样子。③夭：少，此指幼嫩。沃沃：润泽的样子。

匪风

匪风发兮[1]，匪车偈兮[2]。顾瞻周道[3]，中心怛兮[4]。
匪风飘兮，匪车嘌兮[5]。顾瞻周道，中心吊兮[6]。
谁能亨鱼[7]，溉之釜鬵[8]。谁将西归，怀之好音。

【注释】

①匪：通“彼”。②偈（jié）：疾驰。③周道：大道。④怛（dá）：痛苦，悲伤。⑤嘌（piāo）：轻快。⑥吊：悲伤。⑦亨：通“烹”。⑧溉：通“摡”，意为洗涤。釜：锅子。鬵（xín）：大锅。

曹风

蜉蝣

蜉蝣之羽，衣裳楚楚。心之忧矣，於我归处[1]？
蜉蝣之翼，采采衣服，心之忧矣，於我归息？
蜉蝣掘阅[2]，麻衣如雪。心之忧矣，於我归说？

【注释】

①於我归处：于何归处。②掘阅：有光泽。

候人

彼候人兮[1]，何戈与祋[2]。彼其之子[3]，三百赤芾[4]。
维鹈在梁[5]，不濡其翼[6]。彼其之子，不称其服[7]。
维鹈在梁，不濡其咮[8]。彼其之子，不遂其媾[9]。
荟兮蔚兮[10]，南山朝隮[11]。婉兮娈兮[12]，季女斯饥[13]。

【注释】

①候人：官名，是看守边境、迎送宾客和治理道路、掌管禁令的小官。②何（hè）：通“荷”，扛着。③之子：这个人。④赤芾（fú）：赤色的蔽膝。⑤鹈（tí）：即鹈鹕。⑥濡（rú）：沾湿。⑦称：相称，相配。⑧咮（zhòu）：禽鸟的喙。⑨媾：婚配，婚姻。⑩荟、蔚：虹云升腾的景色。⑪隮（jī）：同“跻”，升，登。⑫婉：年轻。⑬季女：少女。

诗经

鸤鸠

鸤鸠在桑[1]，其子七兮。淑人君子[2]，其仪一兮[3]。其仪一兮，心如结兮[4]。

鸤鸠在桑，其子在梅。淑人君子，其带伊丝[5]。其带伊丝，其弁伊骐[6]。

鸤鸠在桑，其子在棘。淑人君子，其仪不忒[7]。其仪不忒，正是四国[8]。

鸤鸠在桑，其子在榛[9]。淑人君子，正是国人。正是国人，胡不万年。

【注释】

①鸤（shī）鸠：布谷鸟。②淑人：善人。③仪：仪态。④心如结：用心专一。⑤伊：是。⑥弁（biàn）：皮帽。⑦忒（tè）：差错。⑧正：法则。⑨榛：丛生的树。

下泉

洌彼下泉[1]，浸彼苞稂[2]。忾我寤叹[3]，念彼周京[4]。
洌彼下泉，浸彼苞萧[5]。忾我寤叹，念彼京周。
洌彼下泉，浸彼苞蓍[6]。忾我寤叹，念彼京师。
芃芃黍苗[7]，阴雨膏之[8]。四国有王[8]，郇伯劳之[9]。

【注释】

①下泉：从地下涌出的泉水。②苞：丛生。稂（láng）：一种野草。③忾（kài）：叹息。④周京：周朝的京都。与下文“京周”“京师”同义。⑤萧：艾蒿。⑥蓍（shī）：一种用于占卦的草。⑦芃（péng）芃：茂盛而茁壮。⑧有王：朝聘于天子。⑨劳：慰劳。

豳风

七月

七月流火[①]，九月授衣[②]。一之日觱发[③]，二之日栗烈[④]。无衣无褐，何以卒岁？三之日于耜，四之日举趾。同我妇子，馌彼南亩[⑤]。田畯至喜[⑥]。

七月流火，九月授衣。春日载阳，有鸣仓庚[⑦]。女执懿筐[⑧]，遵彼微行[⑨]，爰求柔桑。春日迟迟，采蘩祁祁[⑩]。女心伤悲，殆及公子同归。

七月流火，八月萑苇[⑪]。蚕月条桑[⑫]，取彼斧斨[⑬]。以伐远扬[⑭]，猗彼女桑[⑮]。七月鸣鵙[⑯]，八月载绩。载玄载黄，我朱孔阳[⑰]，为公子裳。

四月秀葽[⑱]，五月鸣蜩[⑲]。八月其获，十月陨萚[⑳]。一之日于貉[㉑]，取彼狐狸，为公子裘。二之日其同，载缵武功[㉒]。言私其豵[㉓]，献豜于公[㉔]。

五月斯螽动股[㉕]，六月莎鸡振羽[㉖]。七月在野，八月在宇，九月在户，十月蟋蟀入我床下。穹窒熏鼠[㉗]，塞向墐户[㉘]。嗟我妇子，曰为改岁，入此室处。

六月食郁及薁，七月亨葵及菽。八月剥枣，十月获稻。为此春酒，以介眉寿。七月食瓜，八月断壶[㉙]，九月叔苴[㉚]。采荼薪樗[㉛]，食我农夫。

九月筑场圃，十月纳禾稼。黍稷重穋[㉜]，禾麻菽麦。嗟我农夫，我稼既同[㉝]，上入执宫功[㉞]。昼尔于茅，宵尔索绹[㉟]，亟其乘屋[㊱]，其始播百谷。

诗经

二之日凿冰冲冲[37]，三之日纳于凌阴[38]。四之日其蚤[39]，献羔祭韭。九月肃霜[40]，十月涤场。朋酒斯飨[41]，曰杀羔羊。跻彼公堂，称彼兕觥[42]，万寿无疆！

【注释】

①流火：大火星自南方向偏西方向下行。②授衣：裁制冬衣。③觱(bì)发：风吹过物体发出的声响。④栗烈：凛冽，寒冷。⑤馌(yè)：送饭。⑥田畯(jùn)：为领主监工的农官。⑦仓庚：黄莺。⑧懿筐：很深的筐。⑨微行：小路。⑩蘩：白蒿。祁祁：形容采蘩妇女众多。⑪萑(huán)苇：荻草与芦苇。⑫条桑：修整桑枝。⑬斨(qiāng)：方孔的斧。⑭远扬：长得特别高或特别长的桑枝。⑮女桑：很嫩的桑叶。⑯鸣䴗(jú)：伯劳鸟。⑰孔阳：色彩十分鲜明的样子。⑱秀：长穗。葽(yāo)：即远志，一种药用植物。⑲蜩(tiáo)：蝉。⑳陨：坠落。萚(tuò)：落叶。㉑于貉(hè)：猎貉。㉒缵(zuǎn)：继续。㉓豵(zōng)：小猪。㉔豜(jiān)：三岁的猪。㉕斯螽(zhōng)：即螽斯，昆虫名。㉖莎鸡：即纺织娘，昆虫名。㉗穹窒：堵住洞穴。㉘塞向：堵塞北窗。㉙壶：葫芦。㉚叔苴(jū)：拾麻籽。㉛荼：苦菜。樗(chū)：苦椿树。㉜重(chóng)：同"穜"，早种晚熟的谷。穋(lù)：同"稑"，晚种早熟的谷。㉝既同：已收齐。㉞宫功：修建宫室。㉟索绹(táo)：搓草绳。㊱乘屋：覆盖屋顶。㊲冲冲：凿冰的声音。㊳凌阴：冰窖。㊴蚤：同"早"，此指早朝，古代一种祭祀仪式。㊵肃霜：即"肃爽"，指天高气爽。㊶朋酒：成双的两壶酒。㊷兕觥(sì gōng)：铜制的犀牛状酒杯。

鸱鸮

鸱鸮鸱鸮[①]，既取我子[②]，无毁我室[③]。恩斯勤斯，鬻子之闵斯[④]！

迨天之未阴雨，彻彼桑土[⑤]，绸缪牖户。今女下民，或敢侮予！

予手拮据[6]，予所捋荼。予所蓄租[7]，予口卒瘏[8]。曰予未有室家[9]。

予羽谯谯[10]，予尾翛翛[11]。予室翘翘[12]。风雨所漂摇，予维音哓哓[13]！

【注释】

①鸱鸮（chī xiāo）：猫头鹰。②子：幼鸟。③室：鸟窝。④鬻（yù）：育。闵：病。⑤彻：通“撤”，取。桑土：桑根。⑥拮据：手病，此处意指鸟的脚爪劳累。⑦租：通“蒩”（jū），茅草。⑧卒瘏（tú）：患病。卒通“悴”。⑨室家：鸟窝。⑩谯（qiáo）谯：羽毛稀疏的样子。⑪翛（xiāo）翛：羽毛干枯无光泽的样子。⑫翘翘：危险不稳的状况。⑬哓（xiāo）哓：惊恐的叫声。

东山

我徂东山，慆慆不归[1]。我来自东，零雨其濛。我东曰归，我心西悲。制彼裳衣，勿士行枚[2]。蜎蜎者蠋[3]，烝在桑野[4]。敦彼独宿[5]，亦在车下。

我徂东山，慆慆不归。我来自东，零雨其濛。果蠃之实[6]，亦施于宇[7]。伊威在室[8]，蟏蛸在户[9]。町畽鹿场[10]，熠耀宵行[11]。不可畏也，伊可怀也。

我徂东山，慆慆不归。我来自东，零雨其濛。鹳鸣于垤[12]，妇叹于室。洒扫穹窒，我征聿至[13]。有敦瓜苦[14]，烝在栗薪[15]。自我不见，于今三年。

我徂东山，慆慆不归。我来自东，零雨其濛。仓庚于飞，熠耀其羽。之子于归，皇驳其马[16]。亲结其缡[17]，九十其仪[18]。其新孔嘉，其旧如之何！

【注释】

①慆（tāo）慆：久。②士：通“事”。行枚：行军时衔在口中以防止出声的竹棍。③蜎（yuān）蜎：幼虫蜷曲的样子。④烝：久。⑤敦：团状。⑥果蠃（luǒ）：葫芦科植物。⑦施（yì）：蔓延。⑧伊威：俗称土虱。⑨蠨蛸（xiāo shāo）：一种蜘蛛。⑩町畽（tǐng tuǎn）：动物留下的痕迹。⑪宵行：磷火。⑫垤（dié）：小土丘。⑬聿：将要。⑭瓜苦：苦瓜。⑮栗薪：束薪，柴堆。⑯皇：指马的毛色黄白相杂。驳：指马的毛色不纯。⑰结缡（lí）：将佩巾结在带子上，这是古代婚仪。⑱九十：形容很多。

破斧

既破我斧，又缺我斨[①]。周公东征，四国是皇[②]。哀我人斯，亦孔之将[③]。

既破我斧，又缺我锜。周公东征，四国是吪[④]。哀我人斯，亦孔之嘉。

既破我斧，又缺我銶。周公东征，四国是遒[⑤]。哀我人斯，亦孔之休[⑥]。

【注释】

①斨（qiāng）：斧的一种。②皇：同“惶”，恐惧。③孔：程度副词，可解释为很、甚、极。将：大。④吪（é）：教化。⑤遒（qiú）：一说固，一说敛，一说臣服。⑥休：美好。

伐柯

伐柯如何[①]，匪斧不克[②]。取妻如何[③]？匪媒不得。

伐柯伐柯，其则不远[④]。我觏之子[⑤]，笾豆有践[⑥]。

【注释】

①伐柯：采伐作斧头柄的木料。②匪：同“非”。③取：通“娶”。④则：原则、方法。⑤觏（gòu）：遇见。⑥笾（biān）豆：古代盛食品的器皿。这里是指迎亲的礼仪有条不紊。

九罭

九罭之鱼[1]鳟鲂[2]。我觏之子[3]，衮衣绣裳[4]。
鸿飞遵渚[5]，公归无所，于女信处[6]。
鸿飞遵陆，公归不复，于女信宿。
是以有衮衣兮！无以我公归兮[7]！无使我心悲兮！

【注释】

①九罭（yù）：网眼较小的渔网。②鳟鲂：鳟鱼和鲂鱼。③觏（gòu）：遇见。④衮（gǔn）：古时的高级礼服。⑤遵：沿着。⑥信处：再住一夜称信。处，指住宿。⑦无以：不要让。

狼跋

狼跋其胡[1]，载疐其尾[2]。公孙硕肤[3]，赤舄几几[4]。
狼疐其尾，载跋其胡。公孙硕肤，德音不瑕[5]？

【注释】

①跋：踩。胡：颈下垂肉。②载：则。疐（zhì）：同“踬”，跌倒。③硕肤：大腹便便。④赤舄（xì）：赤色鞋。几几：鲜明。⑤瑕：过失。

雅

小雅

鹿鸣

呦呦鹿鸣，食野之苹。我有嘉宾，鼓瑟吹笙。吹笙鼓簧，承筐是将[①]。人之好我，示我周行[②]。

呦呦鹿鸣，食野之蒿。我有嘉宾，德音孔昭[③]。视民不恌[④]，君子是则是效[⑤]。我有旨酒[⑥]，嘉宾式燕以敖[⑦]。

呦呦鹿鸣，食野之芩。我有嘉宾，鼓瑟鼓琴。鼓瑟鼓琴，和乐且湛[⑧]。我有旨酒，以燕乐嘉宾之心。

【注释】

①承筐：奉上礼品。将：送，献。②周行（háng）：大道，引申为大道理。③孔：很。④视：同“示”。恌：同“佻”。⑤则：法则，楷模，此处作动词用。⑥旨：甘美。⑦敖：同“遨”，嬉游。⑧湛（dān）：深厚。

四牡

四牡騑騑[①]，周道倭迟[②]。岂不怀归？王事靡盬[③]，我心伤悲。

四牡騑騑，啴啴骆马[④]。岂不怀归？王事靡盬，不遑启处[⑤]。

翩翩者鵻[⑥]，载飞载下，集于苞栩[⑦]。王事靡盬，不遑将父[⑧]。

翩翩者鵻，载飞载止，集于苞杞。王事靡盬，不遑将母。

驾彼四骆，载骤骎骎[9]。岂不怀归？是用作歌，将母来谂[10]。

【注释】

①騑（fēi）騑：马不停地走而显得疲劳。②倭迟（wēi yí）：亦作“逶迤”，道路迂回遥远的样子。③盬（gǔ）：止息。④啴（tān）啴：喘息的样子。⑤启处：指在家安居休息。⑥骓（zhuī）：一种短尾的鸟。⑦苞：茂密。⑧将：奉养。⑨骎（qīn）骎：形容马走得很快。⑩谂（shěn）：想念。

皇皇者华

皇皇者华[1]，于彼原隰[2]。駪駪征夫[3]，每怀靡及[4]。
我马维驹，六辔如濡[5]。载驰载驱，周爰咨诹[6]。
我马维骐，六辔如丝。载驰载驱，周爰咨谋[7]。
我马维骆，六辔沃若[8]。载驰载驱，周爰咨度。
我马维骃，六辔既均。载驰载驱，周爰咨询。

【注释】

①皇皇：犹言“煌煌”，形容光彩甚盛。②原隰（xí）：原野上高平之处为原，低湿之处为隰。③駪（shēn）駪：众多疾行貌。④靡及：不及。⑤六辔：古代一车四马，马各二辔，其中两骖马的内辔，系在轼前不用，故称六辔。如濡：新鲜有光泽貌。⑥爰：于。咨诹（zōu）：商量。⑦咨谋：与“咨诹”同义。⑧沃若：光泽盛貌。

常棣

常棣之华[1]，鄂不韡韡[2]。凡今之人，莫如兄弟。
死丧之威[3]，兄弟孔怀[4]。原隰裒矣[5]，兄弟求矣。

脊令在原[⑥]，兄弟急难。每有良朋，况也永叹。
兄弟阋于墙，外御其务[⑦]。每有良朋，烝也无戎[⑧]。
丧乱既平，既安且宁。虽有兄弟，不如友生[⑨]。
傧尔笾豆[⑩]，饮酒之饫[⑪]。兄弟既具，和乐且孺。
妻子好合，如鼓瑟琴。兄弟既翕，和乐且湛。
宜尔室家，乐尔妻孥。是究是图，亶其然乎[⑫]。

【注释】

①常棣：棠棣。②鄂：盛貌。韡（wěi）韡：鲜明貌。③威：通“畏”。④孔怀：最为思念、关怀。⑤裒（póu）：聚。⑥脊令：通“鹡鸰”，一种水鸟。⑦务：通“侮”。⑧烝：久。戎：帮助。⑨友生：友人。⑩傧（bīn）：陈列。⑪饫（yù）：满足。⑫亶（dǎn）：确实。

伐木

伐木丁丁，鸟鸣嘤嘤。出自幽谷，迁于乔木。嘤其鸣矣，求其友声。相彼鸟矣，犹求友声。矧伊人矣[①]，不求友生。神之听之，终和且平。

伐木许许，酾酒有芎[②]。既有肥羜[③]，以速诸父[④]。宁适不来[⑤]，微我弗顾[⑥]。於粲洒扫[⑦]，陈馈八簋。既有肥牡，以速诸舅[⑧]。宁适不来，微我有咎。

伐木于阪，酾酒有衍。笾豆有践，兄弟无远。民之失德，干糇以愆[⑨]。有酒湑我[⑩]，无酒酤我。坎坎鼓我，蹲蹲舞我。迨我暇矣[⑪]，饮此湑矣。

【注释】

①矧（shěn）：况且。②酾（shī）：过滤。芎（xù）：酒味甘美。③羜

（zhù）：小羊羔。④速：邀请。⑤适：恰巧。⑥微：非。⑦粲：光明的样子。⑧诸舅：异姓亲友。⑨干糇（hóu）：干粮。愆（qiān）：过错。⑩湑（xǔ）：滤酒。⑪迨（dài）：趁着。

天保

天保定尔，亦孔之固。俾尔单厚[①]，何福不除[②]。俾尔多益，以莫不庶。

天保定尔，俾尔戬穀[③]。罄无不宜[④]，受天百禄。降尔遐福，维日不足[⑤]。

天保定尔，以莫不兴。如山如阜，如冈如陵，如川之方至[⑥]，以莫不增。

吉蠲为饎[⑦]，是用孝享。禴祠烝尝[⑧]，于公先王。君曰卜尔[⑨]，万寿无疆。

神之吊矣[⑩]，诒尔多福。民之质矣，日用饮食。群黎百姓，遍为尔德[⑪]。

如月之恒[⑫]，如日之升。如南山之寿，不骞不崩[⑬]。如松柏之茂，无不尔或承。

【注释】

①俾（bǐ）：使。单厚：确实很多。②除：给予。③戬（jiǎn）穀（gǔ）：幸福。④罄：所有。⑤维：通“唯”，唯恐。⑥川之方至：河水涨潮。⑦蠲（juān）：祭祀前沐浴斋戒使清洁。⑧禴（yuè）祠烝尝：一年四季在宗庙里举行的祭祀的名称。⑨君：祭祀中扮演先王的神尸。⑩吊：降临。⑪为：感化。⑫恒：指月到上弦。⑬骞（qiān）：因风雨剥蚀而亏损。

采薇

采薇采薇[1]，薇亦作止[2]。曰归曰归，岁亦莫止[3]。靡室靡家[4]，猃狁之故[5]。不遑启居[6]，猃狁之故。

采薇采薇，薇亦柔止。曰归曰归，心亦忧止。忧心烈烈[7]，载饥载渴。我戍未定，靡使归聘。

采薇采薇，薇亦刚止。曰归曰归，岁亦阳止。王事靡盬[8]，不遑启处。忧心孔疚，我行不来。

彼尔维何，维常之华。彼路斯何，君子之车。戎车既驾，四牡业业。岂敢定居，一月三捷。

驾彼四牡，四牡骙骙。君子所依，小人所腓[9]。四牡翼翼，象弭鱼服。岂不日戒，猃狁孔棘。

昔我往矣，杨柳依依。今我来思，雨雪霏霏。行道迟迟，载渴载饥。我心伤悲，莫知我哀！

【注释】

①薇：一种豆科植物。②作：生。③莫："暮"的本字。岁暮，一年将尽之时。④靡：无。⑤猃狁（xiǎn yǔn）：北方少数民族。⑥不遑：没空。启：跪坐。⑦烈烈：火势很大的样子，此处形容忧心如焚。⑧盬（gǔ）：休止。⑨腓（féi）："庇"的假借，隐蔽。

出车

我出我车，于彼牧矣。自天子所，谓我来矣。召彼仆夫，谓之载矣。王事多难，维其棘矣。

我出我车，于彼郊矣。设此旐矣，建彼旄矣。彼旟旐斯，胡不旆旆[①]？忧心悄悄[②]，仆夫况瘁[③]。

王命南仲，往城于方。出车彭彭，旂旐央央。天子命我，城彼朔方。赫赫南仲，玁狁于襄。

昔我往矣，黍稷方华[④]。今我来思，雨雪载涂[⑤]。王事多难，不遑启居[⑥]。岂不怀归，畏此简书。

喓喓草虫，趯趯阜螽。未见君子，忧心忡忡。既见君子，我心则降[⑦]。赫赫南仲，薄伐西戎[⑧]。

春日迟迟，卉木萋萋。仓庚喈喈，采蘩祁祁。执讯获丑[⑨]，薄言还归[⑩]。赫赫南仲，玁狁于夷。

【注释】

①旆（pèi）旆：旗帜飘扬的样子。②悄悄：心情沉重的样子。③况瘁（cuì）：辛苦憔悴。④方：正值。⑤涂：即“途”。⑥启居：安坐休息。⑦降：安宁。⑧薄：借为“搏”，打击。⑨执讯：捉住审讯。获丑：俘虏。⑩薄：急。还：通“旋”，凯旋。

杕杜

有杕之杜[①]，有睆其实[②]。王事靡盬[③]，继嗣我日[④]。日月阳止[⑤]，女心伤止，征夫遑止[⑥]。

有杕之杜，其叶萋萋。王事靡盬，我心伤悲。卉木萋止，女心悲止，征夫归止。

陟彼北山，言采其杞。王事靡盬，忧我父母[⑦]。檀车幝幝[⑧]，四牡痯痯[⑨]，征夫不远。

匪载匪来，忧心孔疚[⑩]。斯逝不至，而多为恤。卜筮偕止，会言近止[⑪]，征夫迩止。

【注释】

①杕（dì）杜：孤生的棠梨树。②睆（huǎn）：果实圆浑貌。③靡：没有。盬（gǔ）：停止。④嗣：延长，延续。⑤阳：旧历十月，十月又称阳月。⑥遑：闲暇。一说忙。⑦忧：此为使动用法，使父母忧。⑧幝（chǎn）幝：破败。⑨痯（guǎn）痯：疲劳。⑩疚（jiù）：病痛。⑪会言：都说。

鱼丽

鱼丽于罶[1]，鲿鲨。君子有酒，旨且多。
鱼丽于罶，鲂鳢。君子有酒，多且旨。
鱼丽于罶，鰋鲤。君子有酒，旨且有。
物其多矣，维其嘉矣。
物其旨矣，维其偕矣。
物其有矣，维其时矣。

【注释】

①丽（lí）：同“罹”，遭遇。罶（liǔ）：捕鱼的工具。

南有嘉鱼

南有嘉鱼，烝然罩罩[1]。君子有酒，嘉宾式燕以乐。
南有嘉鱼，烝然汕汕。君子有酒，嘉宾式燕以衎[2]。
南有樛木[3]，甘瓠累之[4]。君子有酒，嘉宾式燕绥之[5]。
翩翩者雏[6]，烝然来思。君子有酒，嘉宾式燕又思[7]。

【注释】

①烝（zhēng）：众多。②衎（kàn）：快乐。③樛（jiū）：树木向下弯

曲。④累：缠绕。⑤绥：安。⑥骓（zhuī）：鸟名，即鹁鸠。⑦又：通“侑”，劝酒。

南山有台

南山有台[①]，北山有莱[②]。乐只君子，邦家之基。乐只君子，万寿无期。

南山有桑，北山有杨。乐只君子，邦家之光。乐只君子，万寿无疆。

南山有杞，北山有李。乐只君子，民之父母。乐只君子，德音不已。

南山有栲，北山有杻。乐只君子，遐不眉寿[③]。乐只君子，德音是茂[④]。

南山有枸，北山有楰。乐只君子，遐不黄耇。乐只君子，保艾尔后[⑤]。

【注释】

①台：通“薹”，莎草。②莱：藜草。③眉寿：高寿。④茂：美盛。⑤保艾：保养。

蓼萧

蓼彼萧斯[①]，零露湑兮[②]。既见君子，我心写兮[③]。燕笑语兮，是以有誉处兮[④]。

蓼彼萧斯，零露瀼瀼。既见君子，为龙为光[⑤]。其德不爽，寿考不忘。

蓼彼萧斯，零露泥泥[⑥]。既见君子，孔燕岂弟[⑦]。宜兄宜弟，令德寿岂。

蓼彼萧斯，零露浓浓。既见君子，鞗革冲冲。和鸾雍雍，万福攸同⑧。

【注释】

①蓼（lù）：长而大的样子。②零：滴落。湑（xǔ）：叶子上沾着水珠。③写：舒畅。④誉处：安乐愉悦。⑤为龙为光：为被天子恩宠而荣幸。⑥泥泥：露水很重。⑦孔燕：非常安详。岂弟：同“凯悌”，和乐。⑧攸同：所聚。

湛露

湛湛露斯①，匪阳不晞②。厌厌夜饮③，不醉无归。
湛湛露斯，在彼丰草。厌厌夜饮，在宗载考④。
湛湛露斯，在彼杞棘。显允君子⑤，莫不令德⑥。
其桐其椅，其实离离⑦。岂弟君子，莫不令仪。

【注释】

①湛湛：露珠清莹盛多。②晞：干。③厌厌：和悦的样子。④考：祭享。⑤显允：光明磊落而诚信忠厚。⑥令：善美。⑦离离：犹言“累累”。

彤弓

彤弓弨兮①，受言藏之②。我有嘉宾③，中心贶之④。钟鼓既设，一朝飨之⑤。

彤弓弨兮，受言载之。我有嘉宾，中心喜之。钟鼓既设，一朝右之。

彤弓弨兮，受言櫜之⑥。我有嘉宾，中心好之。钟鼓既设，一朝酬之。

【注释】

①弨（chāo）：弓弦松弛。②藏：珍藏于祖庙中。③嘉宾：有功诸侯。④中心：内心。⑤一朝：整个上午。飨（xiǎng）：用酒食款待宾客。⑥櫜（gāo）：装弓的袋，此处指装入弓袋。

菁菁者莪

菁菁者莪[①]，在彼中阿[②]。既见君子，乐且有仪。
菁菁者莪，在彼中沚。既见君子，我心则喜。
菁菁者莪，在彼中陵。既见君子，锡我百朋。
泛泛杨舟，载沉载浮。既见君子，我心则休。

【注释】

①菁（jīng）菁：草木茂盛。②阿：山坳。

六月

六月栖栖[①]，戎车既饬[②]。四牡骙骙[③]，载是常服。猃狁孔炽，我是用急。王于出征，以匡王国。

比物四骊，闲之维则[④]。维此六月，既成我服。我服既成，于三十里[⑤]。王于出征，以佐天子。

四牡修广，其大有颙[⑥]。薄伐猃狁，以奏肤公[⑦]。有严有翼，共武之服[⑧]。共武之服，以定王国。

猃狁匪茹[⑨]，整居焦获。侵镐及方，至于泾阳。织文鸟章，白旆央央。元戎十乘，以先启行。

戎车既安，如轾如轩[⑩]。四牡既佶，既佶且闲。薄伐猃狁，至于大原。文武吉甫，万邦为宪[⑪]。

吉甫燕喜，既多受祉。来归自镐，我行永久。饮御诸友[12]，炰鳖脍鲤[13]。侯谁在矣，张仲孝友。

【注释】

①栖栖：忙碌紧急的样子。②饬（chì）：整顿，整理。③骙（kuí）骙：马很强壮的样子。④闲：训练。⑤于：往。⑥颙（yóng）：大头大脑的样子。⑦奏：建立。肤公：大功。⑧共：通“恭”，严肃地对待。武之服：打仗的事。⑨茹：柔弱。⑩如轾（zhì）如轩：车身前俯后仰。⑪宪：榜样。⑫御：进献。⑬炰（páo）：蒸煮。脍鲤：切成细条的鲤鱼。

采芑

薄言采芑[1]，于彼新田，于此菑亩。方叔莅止，其车三千，师干之试[2]。方叔率止，乘其四骐，四骐翼翼。路车有奭，簟茀鱼服，钩膺鞗革。

薄言采芑，于彼新田，于此中乡。方叔莅止，其车三千，旂旐央央。方叔率止，约軧错衡，八鸾玱玱[3]。服其命服[4]，朱芾斯皇，有瑲葱珩[5]。

鴥彼飞隼，其飞戾天[6]，亦集爰止。方叔莅止，其车三千，师干之试。方叔率止，钲人伐鼓[7]，陈师鞠旅[8]。显允方叔[9]，伐鼓渊渊，振旅阗阗[10]。

蠢尔蛮荆，大邦为仇。方叔元老，克壮其犹[11]。方叔率止，执讯获丑。戎车啴啴，啴啴焞焞，如霆如雷。显允方叔，征伐猃狁，蛮荆来威。

【注释】

①芑（qǐ）：苦荬菜。②试：演习。③玱（qiāng）玱：象声词，金玉撞击声。④服：穿起。命服：礼服。⑤葱珩（héng）：翠绿色的佩玉。⑥戾：到达。⑦钲人：掌管击钲击鼓的官员。⑧鞠：誓师。⑨显允：高贵英伟。

⑩振旅：收兵。阗（tián）阗：击鼓声。⑪犹：通“猷”，谋略。

车攻

我车既攻[①]，我马既同。四牡庞庞，驾言徂东[②]。
田车既好[③]，田牡孔阜[④]。东有甫草，驾言行狩。
之子于苗，选徒嚣嚣[⑤]。建旐设旄，薄狩于敖。
驾彼四牡，四牡奕奕。赤芾金舄[⑥]，会同有绎[⑦]。
决拾既佽，弓矢既调。射夫既同[⑧]，助我举柴[⑨]。
四黄既驾，两骖不猗[⑩]。不失其驰，舍矢如破。
萧萧马鸣，悠悠旆旌。徒御不惊[⑪]，大庖不盈[⑫]。
之子于征，有闻无声。允矣君子，展也大成[⑬]。

【注释】

①攻：修缮。②徂（cú）：往。③田车：猎车。④阜（fù）：高大肥硕有气势。⑤选：通“算”，清点。嚣（áo）嚣：声音嘈杂。⑥赤芾（fú）：红色蔽膝。⑦有绎：连续不断而有次序的样子。⑧同：指比赛射箭的人找到对手。⑨柴：即“紫”，或作“胔”，堆积的动物尸体。⑩猗（yǐ）：通“倚”，偏差。⑪惊：“警”之假借字，机警。⑫大庖（páo）：天子的厨房。⑬展：诚。

吉日

吉日维戊[①]，既伯既祷[②]。田车既好，四牡孔阜。升彼大阜[③]，从其群丑[④]。

吉日庚午，既差我马[⑤]。兽之所同，麀鹿麌麌。漆沮之从，天子之所。

瞻彼中原，其祁孔有。儦儦俟俟[⑥]，或群或友[⑦]。悉率左右，以燕天子。

既张我弓，既挟我矢。发彼小豝，殪此大兕[8]。以御宾客，且以酌醴[9]。

【注释】

①维：是。②伯："祃"之假借。祃（mà），指师祭。③阜：山冈。④从：追逐。群丑：指群兽。⑤差：选择。⑥儦（biāo）儦：疾行。俟（sì）俟：缓行。⑦群：三只兽在一起为群。友：两只兽在一起为友。⑧殪（yì）：射死。兕（sì）：大野牛，或谓犀牛。⑨醴（lǐ）：甜酒。

鸿雁

鸿雁于飞，肃肃其羽。之子于征，劬劳于野[1]。爰及矜人[2]，哀此鳏寡[3]。

鸿雁于飞，集于中泽。之子于垣，百堵皆作。虽则劬劳，其究安宅。

鸿雁于飞，哀鸣嗷嗷。维此哲人[4]，谓我劬劳。维彼愚人，谓我宣骄[5]。

【注释】

①劬（qú）劳：勤劳辛苦。②矜人：穷苦的人。③鳏（guān）：老而无妻者。寡：老而无夫者。④哲人：通情达理的人。⑤宣骄：骄奢。

庭燎

夜如何其？夜未央[1]。庭燎之光[2]。君子至止，鸾声将将[3]。

夜如何其？夜未艾[4]。庭燎晣晣[5]。君子至止，鸾声哕哕[6]。

夜如何其？夜乡晨[7]。庭燎有辉[8]。君子至止，言观其旂。

【注释】

①央：尽。②庭燎：宫廷中照亮的火炬。③鸾：也作“銮”，铃。④艾：尽。⑤晣（zhé）晣：明亮。⑥哕（huì）哕：铃声。⑦乡（xiàng）：同“向”。⑧辉：较暗淡的光。

沔水

沔彼流水[1]，朝宗于海[2]。鴥彼飞隼[3]，载飞载止。嗟我兄弟，邦人诸友。莫肯念乱[4]，谁无父母？

沔彼流水，其流汤汤。鴥彼飞隼，载飞载扬。念彼不迹[5]，载起载行。心之忧矣，不可弭忘。

鴥彼飞隼，率彼中陵。民之讹言，宁莫之惩。我友敬矣，谗言其兴。

【注释】

①沔（miǎn）：流水满溢。②朝宗：归往。③鴥（yù）：鸟疾飞。④念：“尼”之假借，止。⑤不迹：不循法度。

鹤鸣

鹤鸣于九皋[1]，声闻于野。鱼潜在渊，或在于渚[2]。乐彼之园，爰有树檀，其下维萚。它山之石，可以为错[3]。

鹤鸣于九皋，声闻于天。鱼在于渚，或潜在渊。乐彼之园，爰有树檀，其下维榖。它山之石，可以攻玉。

【注释】

①九：虚数，表示很多。皋：沼泽地。②渚：此处指水滩。③错：砺石，可以打磨玉器。

祈父

祈父[①]！予王之爪牙。胡转予于恤[②]，靡所止居[③]。
祈父！予王之爪士。胡转予于恤，靡所厎止[④]。
祈父！亶不聪[⑤]。胡转予于恤，有母之尸饔[⑥]。

【注释】

①祈父：周代掌兵的官员，即大司马。②恤：忧愁。③靡所：没有处所。④厎（zhǐ）：停止。⑤亶（dǎn）：确实。⑥尸：陈列。

白驹

皎皎白驹，食我场苗。絷之维之[①]，以永今朝。所谓伊人[②]，于焉逍遥。

皎皎白驹，食我场藿。絷之维之，以永今夕。所谓伊人，于焉嘉客。

皎皎白驹，贲然来思[③]。尔公尔侯[④]，逸豫无期。慎尔优游，勉尔遁思。

皎皎白驹，在彼空谷。生刍一束，其人如玉。毋金玉尔音[⑤]，而有遐心[⑥]。

【注释】

①絷（zhí）：用绳子绊住马足。②伊人：指白驹的主人。③贲（bēn）

然：马放蹄急驰貌。④公、侯：此处皆作动词，为公为侯之意。⑤金玉：珍惜之意。⑥遐心：疏远之心。

黄鸟

黄鸟黄鸟[1]，无集于榖[2]，无啄我粟。此邦之人，不我肯穀[3]。言旋言归[4]，复我邦族。

黄鸟黄鸟，无集于桑，无啄我粱。此邦之人，不可与明[5]。言旋言归，复我诸兄。

黄鸟黄鸟，无集于栩，无啄我黍。此邦之人，不可与处。言旋言归，复我诸父。

【注释】

①黄鸟：黄雀。②榖（gǔ）：楮木。③穀（gǔ）：养育。④旋：通“还”，回归。⑤明：通“盟”，讲信用。

我行其野

我行其野，蔽芾其樗[1]。昏姻之故，言就尔居[2]。尔不我畜[3]，复我邦家[4]。

我行其野，言采其蓫[5]。昏姻之故，言就尔宿。尔不我畜，言归斯复。

我行其野，言采其葍。不思旧姻，求尔新特[6]。成不以富，亦祇以异[7]。

【注释】

①蔽芾（fèi）：树木茂盛的样子。②就：从。③畜：养活。④邦家：故乡。⑤蓫（zhú）：一种野菜。⑥新特：新配偶。⑦祇（zhǐ）：恰恰。

斯干

秩秩斯干[1]，幽幽南山。如竹苞矣[2]，如松茂矣。兄及弟矣，式相好矣，无相犹矣[3]。

似续妣祖[4]，筑室百堵，西南其户。爰居爰处[5]，爰笑爰语。

约之阁阁[6]，椓之橐橐[7]。风雨攸除[8]，鸟鼠攸去，君子攸芋[9]。

如跂斯翼，如矢斯棘[10]，如鸟斯革，如翚斯飞[11]，君子攸跻。

殖殖其庭[12]，有觉其楹[13]。哙哙其正[14]，哕哕其冥[15]，君子攸宁。

下莞上簟[16]，乃安斯寝。乃寝乃兴，乃占我梦。吉梦维何？维熊维罴，维虺维蛇。

大人占之[17]。维熊维罴，男子之祥。维虺维蛇，女子之祥。

乃生男子，载寝之床。载衣之裳，载弄之璋[18]。其泣喤喤[19]，朱芾斯皇[20]，室家君王。

乃生女子，载寝之地。载衣之裼[21]，载弄之瓦[22]。无非无仪，唯酒食是议，无父母诒罹[23]。

【注释】

①秩秩：水流的样子。干（jiàn）：通“涧”，山间流水。②苞：丛生稠密的样子。③犹：欺诈。④似：同“嗣”，似续，继承。妣（bǐ）祖：先妣、先祖。⑤爰（yuán）：于是。⑥约：捆扎。阁阁：捆扎筑板发出的声音。⑦椓（zhuó）：打夯。橐（tuó）橐：用杵捣土的声音。⑧攸：于是。⑨芋：宇，居

住。⑩棘：棱角。⑪翚（huī）：野鸡。⑫殖殖：平正貌。⑬觉：高大而直立。楹：柱子。⑭哙（kuài）哙：宽敞明亮的样子。正：向阳的屋子。⑮哕（huì）哕：光明的样子。冥：光线幽暗的地方。⑯莞（guān）：蒲席。⑰大人：古代占卜之官。⑱璋：一种玉器。⑲喤（huáng）喤：洪亮的哭声。⑳芾：古代礼服上的蔽膝。㉑裼（tì）：婴儿用的褓衣。㉒瓦：陶制的纺线锤。㉓罹（lí）：忧愁。

无羊

谁谓尔无羊[①]？三百维群[②]。谁谓尔无牛？九十其犉[③]。尔羊来思，其角濈濈。尔牛来思，其耳湿湿。

或降于阿，或饮于池，或寝或讹。尔牧来思，何蓑何笠，或负其糇。三十维物，尔牲则具。

尔牧来思，以薪以蒸，以雌以雄。尔羊来思，矜矜兢兢，不骞不崩。麾之以肱，毕来既升。

牧人乃梦，众维鱼矣，旐维旟矣。大人占之[④]，众维鱼矣，实维丰年。旐维旟矣，室家溱溱。

【注释】

①尔：指放牧牛羊者。②三百：与下文“九十”均为虚指，形容牛羊众多。③犉（chún）：大牛。④大人：太卜之类官。

节南山

节彼南山[①]，维石岩岩[②]。赫赫师尹，民具尔瞻。忧心如惔[③]，不敢戏谈。国既卒斩，何用不监[④]！

节彼南山，有实其猗[⑤]。赫赫师尹，不平谓何？天方荐瘥[⑥]，丧乱弘多。民言无嘉，憯莫惩嗟[⑦]！

尹氏大师，维周之氐[8]。秉国之均，四方是维，天子是毗[9]，俾民不迷。不吊昊天[10]，不宜空我师。

弗躬弗亲，庶民弗信。弗问弗仕，勿罔君子？式夷式已，无小人殆；琐琐姻亚[11]，则无膴仕[12]！

昊天不佣[13]，降此鞠讻[14]。昊天不惠，降此大戾。君子如届[15]，俾民心阕[16]。君子如夷，恶怒是违。

不吊昊天，乱靡有定。式月斯生，俾民不宁。忧心如酲[17]，谁秉国成？不自为政，卒劳百姓。

驾彼四牡，四牡项领[18]。我瞻四方，蹙蹙靡所骋[19]。

方茂尔恶，相尔矛矣。既夷既怿[20]，如相酬矣[21]。

昊天不平，我王不宁。不惩其心，覆怨其正。

家父作诵，以究王讻[22]。式讹尔心[23]，以畜万邦[24]。

【注释】

①节：高峻貌。②岩岩：积石貌。③惔（tán）：忧心如焚。④何用：何以。⑤有实：广大的样子。猗：同“阿”，山坡。⑥荐：屡次。瘥（cuó）：疫病。⑦憯（cǎn）：曾，还。⑧氐：根本。⑨毗（pí）：辅助。⑩不吊：不淑，不善。⑪琐琐：细小。姻亚：连襟关系。婿之父曰姻，两婿相谓曰亚。⑫膴（wǔ）仕：厚任，高官厚禄。⑬佣：公平。⑭鞠讻（xiōng）：极凶。⑮届：临。⑯阕：止息。⑰酲（chéng）：酒醉而不醒。⑱项领：马很长时间不用，马颈肥大。⑲蹙（cù）蹙：局促不舒展。⑳怿：喜悦。㉑酬：劝酒。㉒究：追究。㉓讹：改变。㉔畜：养，延续。

正月

正月繁霜[1]，我心忧伤。民之讹言[2]，亦孔之将。念我独兮，忧心京京[3]。哀我小心，癙忧以痒[4]。

父母生我，胡俾我瘉[5]？不自我先，不自我后。好言自口，莠言自口[6]。忧心愈愈，是以有侮。

忧心惸惸[7]，念我无禄。民之无辜，并其臣仆。哀我人斯，于何从禄？瞻乌爰止，于谁之屋？

瞻彼中林，侯薪侯蒸。民今方殆[8]，视天梦梦[9]。既克有定，靡人弗胜。有皇上帝，伊谁云憎？

谓山盖卑[10]，为冈为陵。民之讹言，宁莫之惩。召彼故老[11]，讯之占梦。具曰予圣，谁知乌之雌雄？

谓天盖高，不敢不局。谓地盖厚，不敢不蹐[12]。维号斯言，有伦有脊[13]。哀今之人，胡为虺蜴[14]！

瞻彼阪田，有菀其特。天之扤我[15]，如不我克。彼求我则，如不我得。执我仇仇[16]，亦不我力。

心之忧矣，如或结之。今兹之正，胡然厉矣？燎之方扬，宁或灭之？赫赫宗周，褒姒威之。

终其永怀，又窘阴雨。其车既载，乃弃尔辅。载输尔载，将伯助予。

无弃尔辅，员于尔辐[17]。屡顾尔仆，不输尔载。终逾绝险，曾是不意。

鱼在于沼，亦匪克乐。潜虽伏矣，亦孔之炤[18]。忧心惨惨[19]，念国之为虐。

彼有旨酒，又有佳肴。洽比其邻，昏姻孔云[20]。念我独兮，忧心慇慇[21]。

佌佌彼有屋[22]，蔌蔌方有谷[23]。民今之无禄，天夭是椓[24]。哿矣富人[25]，哀此惸独。

【注释】

①正（zhēng）月：夏历四月。②讹言：谣言。③京京：忧愁不止。④癙（shǔ）：郁闷。痒：病。⑤俾：使。瘉：病，痛苦。⑥莠言：坏话。⑦惸（qióng）惸：担忧烦恼的样子。⑧殆：疑惑。⑨梦梦：昏聩。⑩盖

(hé)：通“盍”，何。⑪故老：元老。⑫蹐（jí）：轻步走路。⑬伦：道理。脊：条理。⑭虺蜴（huǐ yì）：毒蛇与蜥蜴。⑮抓（yuè）：抈之假借，挫折。⑯仇（qiú）仇：傲慢。⑰员：增加。⑱炤（zhāo）：明显。⑲惨惨：忧郁不安。⑳云：周旋。㉑慇（yīn）慇：忧愁的样子。㉒佌（cǐ）佌：比喻小人卑微。㉓蔌（sù）蔌：鄙陋。谷：俸禄。㉔椓（zhuó）：打击。㉕哿（kě）：欢乐。

十月之交

十月之交[①]，朔月辛卯。日有食之，亦孔之丑。彼月而微，此日而微。今此下民，亦孔之哀。

日月告凶，不用其行。四国无政，不用其良。彼月而食，则维其常。此日而食，于何不臧！

烨烨震电[②]，不宁不令。百川沸腾，山冢崒崩[③]。高岸为谷，深谷为陵。哀今之人，胡憯莫惩[④]？

皇父卿士，番维司徒，家伯维宰，仲允膳夫[⑤]。聚子内史[⑥]，蹶维趣马[⑦]，楀维师氏[⑧]。艳妻煽方处。

抑此皇父，岂曰不时[⑨]？胡为我作，不即我谋。彻我墙屋[⑩]，田卒污莱。曰予不戕[⑪]，礼则然矣。

皇父孔圣，作都于向。择三有事[⑫]，亶侯多藏[⑬]。不慭遗一老[⑭]，俾守我王。择有车马，以居徂向。

黾勉从事[⑮]，不敢告劳。无罪无辜，谗口嚣嚣[⑯]。下民之孽，匪降自天。噂沓背憎[⑰]，职竞由人[⑱]。

悠悠我里[⑲]，亦孔之痗[⑳]。四方有羡，我独居忧。民莫不逸，我独不敢休。天命不彻，我不敢效我友自逸。

【注释】

①交：日月交会。②烨（yè）烨：雷电闪耀。③冢：山顶。崒：通

“碎”，崩坏。④胡憯（cǎn）：怎么。⑤仲允：人名。膳夫：掌管周王饮食的官。⑥内史：掌管周王的法令和对诸侯封赏策命的官。⑦马：养马的官。⑧师氏：掌管贵族子弟教育的官。⑨不时：不按时。⑩彻：拆毁。⑪戕（qiāng）：残害。⑫三有事：三有司，即三卿。⑬亶（dǎn）：忠厚，诚实。⑭憖（yìn）：愿意，肯。⑮黾（mǐn）勉：努力。⑯嚣（áo）嚣：众多的样子。⑰噂（zǔn）：汇聚。⑱职：主要。⑲里：“悝”之假借，忧愁。⑳痗（mèi）：病。

雨无正

浩浩昊天，不骏其德[①]。降丧饥馑[②]，斩伐四国。旻天疾威[③]，弗虑弗图[④]。舍彼有罪，既伏其辜。若此无罪，沦胥以铺[⑤]。

周宗既灭，靡所止戾[⑥]。正大夫离居，莫知我勚[⑦]。三事大夫，莫肯夙夜。邦君诸侯，莫肯朝夕。庶曰式臧[⑧]，覆出为恶。

如何昊天，辟言不信[⑨]。如彼行迈，则靡所臻[⑩]。凡百君子，各敬尔身。胡不相畏，不畏于天？

戎成不退，饥成不遂。曾我暬御[⑪]，憯憯日瘁[⑫]？凡百君子，莫肯用讯。听言则答，谮言则退[⑬]。

哀哉不能言，匪舌是出，维躬是瘁。哿矣能言，巧言如流，俾躬处休。

维曰于仕，孔棘且殆[⑭]。云不何使，得罪于天子；亦云可使，怨及朋友。

谓尔迁于王都，曰予未有室家。鼠思泣血，无言不疾。昔尔出居，谁从作尔室[⑮]？

【注释】

①骏：长，美。②饥馑：谷不熟曰饥，菜不熟曰馑。③疾威：暴虐。④虑、图：考虑、谋划。⑤沦胥：陷入。铺：同“痡”，病苦。⑥靡所：无处。止戾（lì）：安定。⑦勚（yì）：劳苦，劳累。⑧庶：庶几。臧：好，善。⑨辟言：合乎法度的话。⑩臻：至，到达。⑪暬（xiè）御：侍御。国王左右亲近之臣。⑫憯（cǎn）憯：忧伤。⑬谮（zèn）言：谏诤的话。⑭棘：急。⑮从：随。作：营造。

小旻

旻天疾威①，敷于下土②。谋犹回遹③，何日斯沮④。谋臧不从⑤，不臧覆用⑥。我视谋犹，亦孔之邛⑦。

潝潝訿訿⑧，亦孔之哀。谋之其臧，则具是违。谋之不臧，则具是依。我视谋犹，伊于胡底。

我龟既厌，不我告犹⑨。谋夫孔多，是用不集。发言盈庭，谁敢执其咎。如匪行迈谋，是用不得于道。

哀哉为犹，匪先民是程，匪大犹是经⑩。维迩言是听⑪，维迩言是争。如彼筑室于道谋，是用不溃于成⑫。

国虽靡止，或圣或否。民虽靡膴⑬，或哲或谋，或肃或艾⑭。如彼泉流，无沦胥以败。

不敢暴虎，不敢冯河。人知其一，莫知其他。战战兢兢，如临深渊，如履薄冰。

【注释】

①旻（mín）天：秋天，此指苍天。疾威：暴虐。②敷：布施。③回遹（yù）：邪僻。④沮：停止。⑤从：听从，采用。⑥覆：反而。⑦邛（qióng）：毛病，错误。⑧潝（xì）潝：小人党同而相和的样子。訿（zǐ）訿：小人伐异而相毁的样子。⑨犹：策谋。⑩大犹：大道，常规。⑪迩言：

指谗佞肤浅的言论。⑫溃：通“遂”，顺利，成功。⑬膴（wǔ）：肥。⑭艾：有治理国家才能的人。

小宛

宛彼鸣鸠，翰飞戾天。我心忧伤，念昔先人。明发不寐[1]，有怀二人。

人之齐圣，饮酒温克[2]。彼昏不知，壹醉日富。各敬尔仪，天命不又。

中原有菽[3]，庶民采之。螟蛉有子，蜾蠃负之。教诲尔子，式穀似之[4]。

题彼脊令[5]，载飞载鸣。我日斯迈[6]，而月斯征。夙兴夜寐，毋忝尔所生[7]。

交交桑扈，率场啄粟。哀我填寡[8]，宜岸宜狱[9]。握粟出卜，自何能穀？

温温恭人，如集于木。惴惴小心，如临于谷。战战兢兢，如履薄冰。

【注释】

①明发：天亮。②温克：善于克制自己以保持温和的仪态。③中原：原中，田野之中。④穀：善。⑤题（dì）：通“睇”，看。⑥迈：远行。⑦忝（tiǎn）：辱没。所生：指父母。⑧填：通“瘨（diān）”，病。⑨岸：诉讼。

小弁

弁彼鸒斯[1]，归飞提提[2]。民莫不穀，我独于罹。何辜于天？我罪伊何？心之忧矣，云如之何？

踧踧周道[3]，鞫为茂草[4]。我心忧伤，惄焉如捣[5]。假寐永叹[6]，维忧用老。心之忧矣，疢如疾首[7]。

维桑与梓[8]，必恭敬止。靡瞻匪父，靡依匪母。不属于毛，不罹于里。天之生我，我辰安在？

菀彼柳斯[9]，鸣蜩嘒嘒[10]。有漼者渊[11]，萑苇淠淠[12]。譬彼舟流，不知所届。心之忧矣，不遑假寐。

鹿斯之奔，维足伎伎[13]。雉之朝雊[14]，尚求其雌。譬彼坏木，疾用无枝。心之忧矣，宁莫之知？

相彼投兔[15]，尚或先之。行有死人，尚或墐之[16]。君子秉心，维其忍之？心之忧矣，涕既陨之。

君子信谗，如或酬之[17]。君子不惠，不舒究之。伐木掎矣[18]，析薪扡矣[19]。舍彼有罪，予之佗矣[20]。

莫高匪山，莫浚匪泉。君子无易由言，耳属于垣[21]。无逝我梁，无发我笱。我躬不阅[22]，遑恤我后[23]！

【注释】

①弁（pán）：快乐。鸒（yù）：鸟名，形似乌鸦，腹下白，小而喜群飞。②提（shí）提：鸟群飞的样子。③踧（dí）踧：平坦。④鞫（jū）：阻塞。⑤惄（nì）：忧伤。⑥假寐：不脱衣裳睡觉。⑦疢（chèn）：病，烦忧。⑧桑、梓：古人常在住宅附近栽桑树、梓树。⑨菀（wǎn）：茂密。⑩蜩（tiáo）：蝉。嘒（huì）嘒：蝉鸣声。⑪漼（cuǐ）：水深。⑫萑（huán）苇：芦苇。淠（pèi）淠：茂盛。⑬伎伎：四足疾行的样子。⑭雉（zhì）：野鸡。雊（gòu）：野鸡鸣。⑮投：掩捕。⑯墐（jìn）：掩埋。⑰酬：劝酒。⑱掎（jǐ）：伐木要用绳子拉着，使它砍完后慢慢放倒。⑲扡（chǐ）：顺着纹理劈开。⑳佗（tuó）：加。㉑属：连接。垣：墙。㉒阅：包容。㉓恤：忧虑。

巧言

悠悠昊天，曰父母且。无罪无辜，乱如此幠[①]。昊天已威[②]，予慎无罪。昊天泰幠[③]，予慎无辜。

乱之初生，僭始既涵[④]。乱之又生，君子信谗。君子如怒，乱庶遄沮[⑤]；君子如祉，乱庶遄已。

君子屡盟，乱是用长。君子信盗，乱是用暴。盗言孔甘，乱是用餤[⑥]。匪其止共[⑦]，维王之邛。

奕奕寝庙，君子作之。秩秩大猷[⑧]，圣人莫之[⑨]。他人有心，予忖度之。跃跃毚兔，遇犬获之。

荏染柔木[⑩]，君子树之。往来行言[⑪]，心焉数之。蛇蛇硕言[⑫]，出自口矣。巧言如簧，颜之厚矣。

彼何人斯？居河之麋。无拳无勇，职为乱阶。既微且尰[⑬]，尔勇伊何？为犹将多[⑭]，尔居徒几何？

【注释】

①幠（hū）：大。②威：暴虐，威怒。③泰幠：太傲慢。④僭：通“谮”，谗言。⑤遄沮：迅速终止。⑥餤（tán）：原意为进食，引申为增多。⑦止共：尽职尽责。⑧秩秩大猷：多而有条理的典章制度。⑨莫：制定。⑩荏（rěn）染：柔弱。⑪行言：流言，谣言。⑫蛇（yí）蛇硕言：夸夸其谈的大话。⑬微：通“癓”，小腿生疮。⑭犹：通“猷”，指诡计。

何人斯

彼何人斯，其心孔艰[①]。胡逝我梁？不入我门？伊谁云从，维暴之云！

二人从行，谁为此祸？胡逝我梁，不入唁我[②]？始者不如今，云不我可[③]！

彼何人斯，胡逝我陈[4]？我闻其声，不见其身。不愧于人？不畏于天？

彼何人斯，其为飘风。胡不自北？胡不自南？胡逝我梁？祇搅我心。

尔之安行，亦不遑舍[5]。尔之亟行，遑脂尔车。壹者之来，云何其盱[6]！

尔还而入，我心易也[7]。还而不入，否难知也。壹者之来，俾我祇也。

伯氏吹埙，仲氏吹篪。及尔如贯，谅不我知[8]？出此三物[9]，以诅尔斯[10]。

为鬼为蜮，则不可得。有靦面目[11]，视人罔极[12]。作此好歌，以极反侧。

【注释】

①艰：此指用心险恶难测。②唁：慰问。③可：好。④陈：堂下至门的路。⑤遑：空闲。舍：止息。⑥盱（xū）：忧、病，或曰望也。⑦易：悦。⑧谅：诚。⑨三物：猪、犬、鸡。⑩诅：诅咒。⑪靦（tiǎn）：露面见人之状。⑫罔极：没有准则，指其心多变难测。

巷伯

萋兮斐兮[1]，成是贝锦。彼谮[2]人者，亦已大甚！

哆兮侈兮[3]，成是南箕。彼谮人者，谁适与谋？

缉缉翩翩[4]，谋欲谮人。慎尔言也，谓尔不信。

捷捷幡幡，谋欲谮言。岂不尔受，既其女迁。

骄人好好[5]，劳人草草[6]。苍天苍天，视彼骄人，矜此劳人！

彼谮人者，谁适与谋？取彼谮人，投畀豺虎。豺虎不食，投畀有北。有北不受，投畀有昊。

杨园之道，猗于亩丘。寺人孟子[⑦]，作为此诗。凡百君子，敬而听之。

【注释】

①萋、斐（fěi）：都是文采相错的样子。②谮（zèn）人：说坏话诬陷别人的人。③哆（chǐ）：张口的样子。④缉缉：附耳私语状。翩翩：往来迅速的样子。⑤骄人：进谗者。⑥劳人：被谗者。草草：忧愁的样子。⑦寺人：阉人，宦官。

谷风

习习谷风[①]，维风及雨[②]。将恐将惧[③]，维予与女[④]。将安将乐，女转弃予[⑤]。

习习谷风，维风及颓[⑥]。将恐将惧，寘予于怀[⑦]。将安将乐，弃予如遗[⑧]。

习习谷风，维山崔嵬。无草不死，无木不萎。忘我大德，思我小怨。

【注释】

①习习：大风声。②维：是。③将：方，当。④与：助。⑤转：反而。⑥颓：自上而下的旋风。⑦寘：同“置”。⑧遗：遗忘。

蓼莪

蓼蓼者莪[①]，匪莪伊蒿[②]。哀哀父母，生我劬劳[③]。

蓼蓼者莪，匪莪伊蔚。哀哀父母，生我劳瘁。

瓶之罄矣[4]，维罍之耻。鲜民之生[5]，不如死之久矣。无父何怙[6]，无母何恃？出则衔恤[7]，入则靡至。

父兮生我，母兮鞠我。拊我畜我[8]，长我育我，顾我复我，出入腹我。欲报之德。昊天罔极！

南山烈烈，飘风发发。民莫不穀，我独何害！

南山律律，飘风弗弗。民莫不穀，我独不卒[9]！

【注释】

①蓼（lù）蓼：高大的样子。②匪：同“非”。③劬（qú）劳：与下章“劳瘁”皆为劳累之意。④瓶：汲水器具。罄（qìng）：尽。⑤鲜（xiǎn）：指寡、孤。民：人。⑥怙（hù）：依靠。⑦衔恤：含忧。⑧拊：通“抚”。畜：通“慉”，喜爱。⑨卒：终，指养老送终。

大东

有饛簋飧[1]，有捄棘匕[2]。周道如砥[3]，其直如矢。君子所履，小人所视。睠言顾之[4]，潸焉出涕。

小东大东[5]，杼柚其空[6]。纠纠葛屦[7]，可以履霜？佻佻公子[8]，行彼周行。既往既来，使我心疚。

有洌氿泉[9]，无浸获薪[10]。契契寤叹[11]，哀我惮人[12]。薪是获薪，尚可载也。哀我惮人，亦可息也。

东人之子，职劳不来。西人之子，粲粲衣服。舟人之子，熊罴是裘。私人之子，百僚是试。

或以其酒，不以其浆。鞙鞙佩璲[13]，不以其长。维天有汉，监亦有光[14]。跂彼织女[15]，终日七襄[16]。

虽则七襄，不成报章[17]。睆彼牵牛[18]，不以服箱[19]。东有启明，西有长庚。有捄天毕[20]，载施之行。

维南有箕[21]，不可以簸扬。维北有斗[22]，不可以挹酒浆[23]。维南有箕，载翕其舌[24]。维北有斗，西柄之揭。

【注释】

①饛（méng）：食物盛满器皿的样子。簋（guǐ）：古代盛食物的器皿，圆口、青铜或陶制。飧（sūn）：熟食，晚饭。②捄（qiú）：曲而长。匕：勺匙。③砥：磨刀石。④睠（juàn）：眷恋回顾。⑤小东大东：东方各诸侯国，离镐京近者为小东，远者为大东。⑥杼（zhù）：织机的梭子。柚（zhóu）：同“轴”，织机之大轴。⑦屦：鞋。⑧佻（tiāo）佻：豫逸轻狂貌。⑨氿（guǐ）泉：自旁侧流出的泉水。⑩获薪：砍下的薪柴。⑪契契：忧苦的样子。⑫惮：同“瘅”，劳苦。⑬鞙（juān）鞙：形容玉美。璲（suì）：瑞玉。⑭监：同“鉴”，照。⑮跂（qí）：同“歧”，分叉状。织女三星，呈三角形，故称。⑯七襄：七次移易位置。⑰报章：织布。⑱睆（huǎn）：明亮貌。⑲服：负载。箱：车斗。⑳毕：星名，八星联成，似网。㉑箕：俗称簸箕星，四星联成，似簸箕。㉒斗：南斗星宿，在箕星之北。㉓挹（yì）：用勺舀取。㉔翕：吸引。

四月

四月维夏[1]，六月徂暑[2]。先祖匪人[3]，胡宁忍予[4]？
秋日凄凄，百卉具腓[5]。乱离瘼矣[6]，爰其适归[7]？
冬日烈烈，飘风发发。民莫不穀[8]，我独何害[9]？
山有嘉卉，侯栗侯梅。废为残贼[10]，莫知其尤[11]。
相彼泉水，载清载浊[12]。我日构祸[13]，曷云能穀？
滔滔江汉，南国之纪。尽瘁以仕，宁莫我有？
匪鹑匪鸢，翰飞戾天。匪鳣匪鲔，潜逃于渊。
山有蕨薇，隰有杞桋。君子作歌，维以告哀。

【注释】

①四月：指夏历四月。下句“六月”同。②徂（cú）：往。徂暑，意谓盛暑即将过去。③匪人：不是他人。④胡宁：为什么。⑤卉（huì）：草的总名。⑥瘼（mò）：病，疾苦。⑦爰：何。适：往、去。⑧穀（gǔ）：善、好。⑨何：通“荷”，承受。⑩残贼：残害。⑪尤：罪过。⑫载：又。⑬构：“遘”的假借字，遇。

北山

陟彼北山，言采其杞。偕偕士子[①]，朝夕从事。王事靡盬[②]，忧我父母。

溥天之下，莫非王土。率土之滨[③]，莫非王臣。大夫不均，我从事独贤。

四牡彭彭[④]，王事傍傍[⑤]。嘉我未老，鲜我方将[⑥]。旅力方刚[⑦]，经营四方[⑧]。

或燕燕居息[⑨]，或尽瘁事国。或息偃在床[⑩]，或不已于行。

或不知叫号，或惨惨劬劳[⑪]。或栖迟偃仰[⑫]，或王事鞅掌[⑬]。

或湛乐饮酒，或惨惨畏咎。或出入风议[⑭]，或靡事不为[⑮]。

【注释】

①偕偕：健壮貌。②靡盬（gǔ）：无休止。③率土之滨：四海之内。④牡：公马。⑤傍傍：急急忙忙。⑥鲜（xiǎn）：称赞。⑦旅力：体力。旅，通“膂”。⑧经营：规划治理，此处指操劳办事。⑨燕燕：安闲自得貌。⑩息偃：躺着休息。⑪惨惨：又作“懆懆”，忧虑不安貌。劬（qú）劳：辛勤劳苦。⑫栖迟：休息游乐。⑬鞅掌：事多繁忙。⑭风议：放言高论。⑮靡事不为：无事不做。

无将大车

无将大车[1]，祇自尘兮。无思百忧，祇自疧兮[2]。
无将大车，维尘冥冥[3]。无思百忧，不出于颎[4]。
无将大车，维尘雝兮[5]。无思百忧，祇自重兮[6]。

【注释】

①将：此指推车。②疧（qí）：病痛。③冥冥：昏暗，此处形容尘土迷蒙的样子。④颎（jiǒng）：通“耿”，心绪不宁。⑤雝（yōng）：通“壅”，引申为遮蔽。⑥重：通“肿”，一说借为“恫”，病痛，病累。

小明

明明上天，照临下土。我征徂西[1]，至于艽野[2]。二月初吉[3]，载离寒暑[4]。心之忧矣，其毒大苦。念彼共人[5]，涕零如雨。岂不怀归，畏此罪罟[6]。

昔我往矣，日月方除。曷云其还，岁聿云莫[7]。念我独兮，我事孔庶[8]。心之忧矣，惮我不暇。念彼共人，睠睠怀顾。岂不怀归，畏此谴怒。

昔我往矣，日月方奥[9]。曷云其还，政事愈蹙。岁聿云莫，采萧获菽[10]。心之忧矣，自诒伊戚。念彼共人，兴言出宿。岂不怀归，畏此反覆[11]。

嗟尔君子，无恒安处。靖共尔位[12]，正直是与。神之听之，式穀以女[13]。

嗟尔君子，无恒安息。靖共尔位，好是正直。神之听之，介尔景福[14]。

诗经

【注释】

①徂（cú）：往，前往。②艽（qiú）野：荒远的边地。③二月：夏历十二月。初吉：上旬的吉日。④离：经历。⑤共人：恭谨的人，同僚。⑥罪罟（gǔ）：法网。⑦聿（yù）云：二字均语助词。莫：岁暮，年终。⑧孔庶：很多。⑨奥：通“燠”（yù），温暖。⑩萧：艾蒿。菽（shū）：豆类。⑪反覆：反复无常，随便加罪于人。⑫靖：敬。位：职位。⑬穀：善，福禄。⑭介：给予。景：大。

鼓钟

鼓钟将将，淮水汤汤，忧心且伤。淑人君子[1]，怀允不忘。

鼓钟喈喈[2]，淮水湝湝，忧心且悲。淑人君子，其德不回[3]。

鼓钟伐鼛，淮有三洲，忧心且妯[4]。淑人君子，其德不犹。

鼓钟钦钦，鼓瑟鼓琴，笙磬同音。以雅以南，以籥不僭。

【注释】

①淑：善。②喈（jiē）喈：声音和谐。③回：邪。④妯（chōu）：因悲伤而动容，心绪不宁。

楚茨

楚楚者茨[1]，言抽其棘[2]。自昔何为，我艺黍稷[3]。我黍与与[4]，我稷翼翼[5]。我仓既盈，我庾维亿[6]。以为酒食，以享以祀。以妥以侑[7]，以介景福。

济济跄跄[8]，絜尔牛羊[9]，以往烝尝[10]。或剥或亨[11]，或肆或将[12]。祝祭于祊[13]，祀事孔明。先祖是皇，神保是飨[14]。孝孙有庆，报以介福，万寿无疆！

执爨踖踖[15]，为俎孔硕[16]，或燔或炙[17]。君妇莫莫[18]，为豆孔庶，为宾为客。献酬交错，礼仪卒度，笑语卒获。神保是格，报以介福，万寿攸酢[19]！

我孔熯矣[20]，式礼莫愆[21]。工祝致告，徂赉孝孙[22]。苾芬孝祀[23]，神嗜饮食，卜尔百福。如几如式，既齐既稷[24]，既匡既敕[25]，永锡尔极，时万时亿！

礼仪既备，钟鼓既戒。孝孙徂位，工祝致告：神具醉止。皇尸载起，鼓钟送尸，神保聿归。诸宰君妇，废彻不迟[26]。诸父兄弟，备言燕私。

乐具入奏，以绥后禄[27]。尔肴既将，莫怨具庆。既醉既饱，小大稽首。神嗜饮食，使君寿考。孔惠孔时，维其尽之。子子孙孙，勿替引之[28]！

【注释】

①楚楚：植物繁密丛生。茨：蒺藜。②抽：除去。棘：刺，指蒺藜。③艺：种植。④与与：茂盛貌。⑤翼翼：繁盛貌。⑥庾（yǔ）：以草席围成圆形的露天粮囤。⑦侑：劝进酒食。⑧济（jǐ）济：庄严恭敬貌。跄（qiāng）跄：走路有节奏貌。⑨絜（jié）：同“洁”，洗净。⑩烝：冬祭名。尝：秋祭名。⑪亨（pēng）：同“烹”，烧煮。⑫肆：陈列。将：捧着献上。⑬祝：太祝，司祭礼的人。祊（bēng）：宗庙门内设祭的地方。⑭神保：祖先之灵。⑮爨（cuàn）：烧火做饭。踖（jí）踖：敏捷。⑯俎（zǔ）：古代祭祀的礼器。⑰燔（fán）：烧肉。⑱莫莫：恭谨。⑲酢（zuò）：回敬酒。⑳熯（nǎn）：敬惧。㉑愆（qiān）：过失，差错。㉒赉（lài）：赐予。㉓苾（bì）：浓香。㉔齐（zhāi）：通“斋”，庄敬。稷：敏捷。㉕敕：严正。㉖彻：通“撤”，除去。㉗绥（suí）：安。㉘引：延长。

信南山

信彼南山[1]，维禹甸之[2]。畇畇原隰，曾孙田之。我疆我理[3]，南东其亩。

上天同云[4]，雨雪雰雰[5]，益之以霢霂[6]。既优既渥，既霑既足。生我百谷。

疆埸翼翼[7]，黍稷彧彧[8]。曾孙之穑[9]，以为酒食。畀我尸宾[10]，寿考万年。

中田有庐，疆埸有瓜。是剥是菹[11]，献之皇祖。曾孙寿考，受天之祜。

祭以清酒，从以骍牡，享于祖考。执其鸾刀，以启其毛，取其血膋。

是烝是享，苾苾芬芬[12]。祀事孔明，先祖是皇。报以介福。万寿无疆！

【注释】

①信（shēn）：即“伸”，延伸。②甸：治理。③疆：划田界。④上天：冬季的天空。⑤雰雰：纷纷。⑥霢霂（mài mù）：小雨。⑦埸（yì）：田界。⑧彧（yù）彧：同“郁郁”，茂盛貌。⑨穑：收获庄稼。⑩畀（bì）：给予。⑪菹（zū）：腌菜。⑫苾（bì）：浓香。

甫田

倬彼甫田[1]，岁取十千[2]。我取其陈，食我农人。自古有年[3]，今适南亩。或耘或耔，黍稷薿薿[4]。攸介攸止[5]，烝我髦士[6]。

以我齐明[7]，与我牺羊，以社以方。我田既臧，农夫之庆。琴瑟击鼓，以御田祖[⑧]。以祈甘雨，以介我稷黍，以穀我士女。

曾孙来止，以其妇子。馌彼南亩，田畯至喜。攘其左右，尝其旨否。禾易长亩，终善且有。曾孙不怒，农夫克敏。

曾孙之稼，如茨如梁。曾孙之庾，如坻如京。乃求千斯仓，乃求万斯箱。黍稷稻粱，农夫之庆。报以介福，万寿无疆。

【注释】

①倬：广阔。②十千：言其多。③有年：丰收年。④薿（nǐ）薿：茂盛的样子。⑤介：长大。⑥烝：进呈。髦士：英俊人士。⑦齐（zī）明：祭祀用的谷物。⑧御（yà）：同“迓”，迎接。

大田

大田多稼[①]，既种既戒[②]，既备乃事[③]。以我覃耜[④]，俶载南亩[⑤]，播厥百谷[⑥]。既庭且硕[⑦]，曾孙是若[⑧]。

既方既皁[⑨]，既坚既好，不稂不莠[⑩]。去其螟螣，及其蟊贼，无害我田穉[⑪]。田祖有神，秉畀炎火。

有渰萋萋[⑫]，兴雨祁祁。雨我公田，遂及我私。彼有不获穉，此有不敛穧，彼有遗秉，此有滞穗，伊寡妇之利。

曾孙来止，以其妇子。馌彼南亩，田畯至喜。来方禋祀[⑬]，以其骍黑，与其黍稷。以享以祀，以介景福[⑭]。

【注释】

①大田：面积广阔的农田。②种：指选种子。③乃事：这些事。④覃（yǎn）：“剡”，锋利。⑤俶（chù）载：开始从事。⑥厥：其。⑦庭：通

“挺”，挺拔。⑧曾孙是若：顺了曾孙的愿望。⑨方：通“房”，指谷粒生嫩壳，但未合满。阜（zào）：指谷壳结成，但未坚实。⑩稂（láng）：指穗粒空瘪的禾。⑪稺（zhì）：幼，幼小。⑫有渰（yǎn）：即“渰渰”，阴云密布的样子。⑬禋（yīn）祀：升烟以祭，泛指祭祀。⑭介：“丐”的假借，祈求。

瞻彼洛矣

瞻彼洛矣，维水泱泱。君子至止，福禄如茨[①]。韎韐有奭，以作六师。

瞻彼洛矣，维水泱泱。君子至止，鞞琫有珌[②]。君子万年，保其家室。

瞻彼洛矣，维水泱泱。君子至止，福禄既同[③]。君子万年，保其家邦。

【注释】

①茨：聚集。②鞞（bǐ）：刀鞘。③同：聚集。

裳裳者华

裳裳者华[①]，其叶湑兮[②]。我觏之子[③]，我心写兮[④]。我心写兮，是以有誉处兮[⑤]。

裳裳者华，芸其黄矣[⑥]。我觏之子，维其有章矣[⑦]。维其有章矣，是以有庆矣。

裳裳者华，或黄或白。我觏之子，乘其四骆。乘其四骆，六辔沃若[⑧]。

左之左之，君子宜之。右之右之，君子有之。维其有之，是以似之。

【注释】

①裳裳：犹“堂堂”，旺盛鲜艳的样子。②湑（xǔ）：茂盛的样子。③觏（gòu）：遇见。④写：通“泻”，心情舒畅。⑤誉：通“豫”，安乐。⑥芸：色彩浓艳。⑦章：服饰文采。⑧沃若：光滑柔软的样子。

桑扈

交交桑扈，有莺其羽[①]。君子乐胥[②]，受天之祜。

交交桑扈，有莺其领。君子乐胥，万邦之屏。

之屏之翰[③]，百辟为宪[④]。不戢不难[⑤]，受福不那[⑥]。

兕觥其觩[⑦]，旨酒思柔[⑧]。彼交匪敖，万福来求。

【注释】

①莺：有文采的样子。②君子：此指群臣。③翰：“干”的假借，支柱。④百辟：各国诸侯。⑤戢（jí）：克制。难（nuó）：通“傩”，行有节度。⑥那（nuó）：多。⑦兕觥：牛角酒杯。觩（qiú）：弯曲的样子。⑧旨酒：美酒。

鸳鸯

鸳鸯于飞，毕之罗之。君子万年，福禄宜之。

鸳鸯在梁，戢其左翼[①]。君子万年，宜其遐福[②]。

乘马在厩，摧之秣之[③]。君子万年，福禄艾之[④]。

乘马在厩，秣之摧之。君子万年，福禄绥之[⑤]。

【注释】

①戢（jí）：插。②遐：远。③秣（mò）：用粮食喂马。④艾：养。⑤绥：安。

頍弁

有頍者弁[①]，实维伊何[②]？尔酒既旨，尔肴既嘉。岂伊异人，兄弟匪他。茑与女萝，施于松柏。未见君子，忧心奕奕。既见君子，庶几说怿[③]。

有頍者弁，实维何期？尔酒既旨，尔肴既时。岂伊异人，兄弟具来。茑与女萝，施于松上。未见君子，忧心怲怲[④]。既见君子，庶几有臧。

有頍者弁，实维在首。尔酒既旨，尔肴既阜。岂伊异人，兄弟甥舅。如彼雨雪[⑤]，先集维霰[⑥]。死丧无日，无几相见[⑦]。乐酒今夕，君子维宴。

【注释】

①弁（biàn）：皮弁，用白鹿皮制成的圆顶礼帽。②实维伊何：是为伊何。③说怿（yuè yì）：欢欣喜悦。说，通“悦”。④怲（bǐng）怲：忧愁貌。⑤雨（yù）雪：下雪。⑥霰（xiàn）：雪珠。⑦无几：没有多久。

车舝

间关车之舝兮[①]，思娈季女逝兮[②]。匪饥匪渴，德音来括[③]。虽无好友，式燕且喜。

依彼平林[④]，有集维鷮。辰彼硕女[⑤]，令德来教。式燕且誉，好尔无射[⑥]。

虽无旨酒，式饮庶几。虽无嘉肴，式食庶几。虽无德与女，式歌且舞。

陟彼高冈，析其柞薪。析其柞薪，其叶湑兮[⑦]。鲜我觏尔[⑧]，我心写兮。

高山仰止，景行行止。四牡騑騑，六辔如琴。觏尔新昏，以慰我心。

【注释】

①间关：车行时发出的声响。②娈：妩媚可爱。季女：少女。③括：犹“佸”，结合。④依：茂盛的样子。⑤辰：通“珍”，美好。⑥无射（yì）：不厌。⑦湑（xǔ）：茂盛。⑧觏（gòu）：遇见。

青蝇

营营青蝇，止于樊。岂弟君子，无信谗言。
营营青蝇，止于棘。谗人罔极，交乱四国。
营营青蝇，止于榛。谗人罔极，构我二人①。

【注释】

①构：陷害。

宾之初筵

宾之初筵①，左右秩秩②。笾豆有楚③，殽核维旅④。酒既和旨，饮酒孔偕。钟鼓既设，举醻逸逸⑤。大侯既抗⑥，弓矢斯张。射夫既同，献尔发功。发彼有的，以祈尔爵。

籥舞笙鼓⑦，乐既和奏。烝衎烈祖⑧，以洽⑨百礼。百礼即至，有壬有林⑩。锡尔纯嘏⑪，子孙其湛⑫。其湛曰乐，各奏尔能。宾载手仇，室人入又。酌彼康爵⑬，以奏尔时。

宾之初筵，温温其恭。其未醉止，威仪反反。曰既醉止，威仪幡幡⑭。舍其坐迁，屡舞僊僊⑮。其未醉止，威仪抑抑。曰既醉止，威仪怭怭⑯。是曰既醉，不知其秩。

宾既醉止，载号载呶[17]。乱我笾豆，屡舞僛僛[18]。是曰既醉，不知其邮[19]。侧弁之俄[20]，屡舞傞傞[21]。既醉而出，并受其福。醉而不出，是谓伐德[22]。饮酒孔嘉，维其令仪。

凡此饮酒，或醉或否。既立之监，或佐之史。彼醉不臧，不醉反耻。式勿从谓，无俾大怠。匪言勿言，匪由勿语。由醉之言，俾出童羖[23]。三爵不识，矧敢多又[24]？

【注释】

①初筵：宾客初入席的时候。②秩秩：恭敬而有序之貌。③楚：陈列。④殽核：肴为豆中所装的肉类，核为笾中所装的干果。旅：陈放。⑤醻（chóu）：同“酬”。举醻，举杯。逸逸：同“绎绎”，敬酒往来不断。⑥大侯：射箭用的靶子。抗：举起。⑦籥（yuè）：一种竹制管乐器。⑧烝（zhēng）：进。衎（kàn）：娱乐。⑨洽：和洽。⑩壬：大。⑪纯嘏（gǔ）：大福。⑫湛（dān）：和乐。⑬康爵：大杯。⑭幡幡：轻浮无礼。⑮僊僊（qiān）：舞姿轻盈的样子。⑯怭（bì）怭：不庄重。⑰呶（náo）：喧哗不止。⑱僛（qī）僛：身体歪斜。⑲邮：通“尤”，过失。⑳弁（biàn）：皮帽。㉑傞（suō）傞：醉舞不止。㉒伐德：败坏道德。㉓童羖（gǔ）：没角的公山羊。㉔又：通“侑”，劝酒。

鱼藻

鱼在在藻，有颁其首[1]。王在在镐，岂乐饮酒。
鱼在在藻，有莘其尾[2]。王在在镐，饮酒乐岂。
鱼在在藻，依于其蒲。王在在镐，有那其居[3]。

【注释】

①颁（fén）：头大的样子。②莘（shēn）：尾巴长的样子。③那（nuó）：安闲的样子。

采菽

采菽采菽，筐之筥之。君子来朝，何锡予之？虽无予之，路车乘马。又何予之，玄衮及黼。

觱沸槛泉[1]，言采其芹。君子来朝，言观其旂。其旂淠淠[2]，鸾声嘒嘒[3]。载骖载驷，君子所届。

赤芾在股，邪幅在下[4]。彼交匪纾[5]，天子所予。乐只君子，天子命之。乐只君子，福禄申之。

维柞之枝，其叶蓬蓬。乐只君子，殿天子之邦[6]。乐只君子，万福攸同。平平左右[7]，亦是率从。

汎汎杨舟，绋缅维之。乐只君子，天子葵之。乐只君子，福禄膍之[8]。优哉游哉，亦是戾矣[9]。

【注释】

①觱（bì）沸：泉水涌出的样子。②淠（pèi）淠：旗帜飘动。③嘒（huì）嘒：铃声有节奏。④邪幅：裹腿。⑤彼交：不急不躁。⑥殿：镇抚。⑦平平：治理。⑧膍（pí）：厚赐。⑨戾（lì）：安定。

角弓

骍骍角弓[1]，翩其反矣[2]。兄弟昏姻[3]，无胥远矣[4]。

尔之远矣，民胥然矣[5]。尔之教矣，民胥效矣。

此令兄弟[6]，绰绰有裕[7]。不令兄弟，交相为瘉[8]。

民之无良，相怨一方。受爵不让，至于已斯亡[9]。

老马反为驹，不顾其后。如食宜饇[10]，如酌孔取[11]。

毋教猱升木[12]，如涂涂附[13]。君子有徽猷[14]，小人与属[15]。

雨雪瀌瀌[16]，见晛曰消[17]。莫肯下遗[18]，式居娄骄[19]。

雨雪浮浮，见晛曰流。如蛮如髦，我是用忧。

【注释】

①骍（xīn）骍：弦和弓调和的样子。②翩：此指反过来弯曲的样子。③昏姻：指异姓亲戚。④胥：相。⑤胥：皆。⑥令：善。⑦绰绰：宽裕舒缓的样子。⑧瘉（yù）：病，此指残害。⑨亡：通“忘”。⑩饫（yù）：饱。⑪孔：多。⑫猱（náo）：猿类，善攀缘。⑬涂：泥土。附：沾着。⑭徽：美。猷：道。⑮与：依附。⑯瀌（biāo）瀌：下雪很盛的样子。⑰晛（xiàn）：日气。⑱遗：通“隤”，柔顺的样子。⑲娄：借为“屡”。

菀柳

有菀者柳[①]，不尚息焉[②]。上帝甚蹈[③]，无自暱焉。俾予靖之[④]，后予极焉[⑤]。

有菀者柳，不尚愒焉。上帝甚蹈，无自瘵焉[⑥]。俾予靖之，后予迈焉[⑦]。

有鸟高飞，亦傅于天[⑧]。彼人之心，于何其臻？曷予靖之，居以凶矜？

【注释】

①菀（yù）：树木茂盛。②尚：庶几。③蹈：动，变化无常。④靖：谋。⑤极：同“殛”，惩罚。⑥瘵（zhài）：病。⑦迈：指放逐。⑧傅：至。

都人士

彼都人士，狐裘黄黄。其容不改，出言有章。行归于周，万民所望。

彼都人士，台笠缁撮[1]。彼君子女，绸直如发[2]。我不见兮，我心不说[3]。

彼都人士，充耳琇实[4]。彼君子女，谓之尹吉。我不见兮，我心苑结。

彼都人士，垂带而厉。彼君子女，卷发如虿。我不见兮，言从之迈。

匪伊垂之，带则有余。匪伊卷之，发则有旟。我不见兮，云何盱矣[5]。

【注释】

①缁撮：青布冠。②绸：通“稠”。③说（yuè）：通“悦”。④琇（xiù）：一种像玉的石。⑤盱（xū）：忧。

采绿

终朝采绿[1]，不盈一匊。予发曲局，薄言归沐。
终朝采蓝，不盈一襜。五日为期，六日不詹。
之子于狩，言韔其弓。之子于钓，言纶之绳。
其钓维何，维鲂及鱮。维鲂及鱮，薄言观者[2]。

【注释】

①绿：通“菉”，草名。②观：多。

黍苗

芃芃黍苗，阴雨膏之。悠悠南行，召伯劳之。
我任我辇，我车我牛。我行既集[1]，盖云归哉[2]。
我徒我御，我师我旅。我行既集，盖云归处。

肃肃谢功[3]，召伯营之。烈烈征师[4]，召伯成之。
原隰既平，泉流既清。召伯有成，王心则宁。

【注释】

①集：完成。②盖（hé）：同“盍”，何不。③功：工程。④烈烈：威武的样子。

隰桑

隰桑有阿[1]，其叶有难[2]。既见君子，其乐如何。
隰桑有阿，其叶有沃。既见君子，云何不乐。
隰桑有阿，其叶有幽[3]。既见君子，德音孔胶。
心乎爱矣，遐不谓矣？中心藏之，何日忘之？

【注释】

①阿（ē）：通“婀”，美。②难（nuó）：通“娜”，盛。③幽：通“黝”，青黑色。

白华

白华菅兮，白茅束兮。之子之远，俾我独兮。
英英白云，露彼菅茅。天步艰难[1]，之子不犹。
滮池北流，浸彼稻田。啸歌伤怀，念彼硕人。
樵彼桑薪，卬烘于煁。维彼硕人，实劳我心。
鼓钟于宫，声闻于外。念子懆懆[2]，视我迈迈[3]。
有鹙在梁，有鹤在林。维彼硕人，实劳我心。
鸳鸯在梁，戢其左翼。之子无良，二三其德。
有扁斯石，履之卑兮。之子之远，俾我疷兮[4]。

【注释】

①天步：天运，命运。②懆（cǎo）懆：愁苦不安。③迈迈：不高兴。④疷（qí）：因忧愁而得病。

绵蛮

绵蛮黄鸟[1]，止于丘阿[2]。道之云远，我劳如何。饮之食之，教之诲之。命彼后车[3]，谓之载之。

绵蛮黄鸟，止于丘隅。岂敢惮行，畏不能趋[4]。饮之食之。教之诲之。命彼后车，谓之载之。

绵蛮黄鸟，止于丘侧。岂敢惮行，畏不能极。饮之食之，教之诲之。命彼后车，谓之载之。

【注释】

①绵蛮：文采繁密的样子。②丘阿（ē）：山坡凹陷处。③后车：副车。④趋：快走。

瓠叶

幡幡瓠叶[1]，采之亨之[2]。君子有酒，酌言尝之。
有兔斯首[3]，炮之燔之[4]。君子有酒，酌言献之。
有兔斯首，燔之炙之。君子有酒，酌言酢之。
有兔斯首，燔之炮之。君子有酒，酌言酬之。

【注释】

①幡（fān）幡：翩翩，反复翻动的样子。②亨（pēng）：同“烹”。③斯首：白头。④燔（fán）：用火烤熟。

渐渐之石

渐渐之石，维其高矣。山川悠远，维其劳矣[①]。武人东征，不皇朝矣[②]。

渐渐之石，维其卒矣[③]。山川悠远，曷其没矣[④]。武人东征，不皇出矣[⑤]。

有豕白蹢，烝涉波矣。月离于毕[⑥]，俾滂沱矣。武人东征，不皇他矣。

【注释】

①劳：通“辽”，广阔。②不皇朝：无暇日。③卒：山高峻而危险。④曷其没矣：什么时候可以结束。⑤不皇出：只知不断深入，无暇顾及出来。⑥月离于毕：天象。

苕之华

苕之华[①]，芸其黄矣[②]。心之忧矣，维其伤矣[③]。

苕之华，其叶青青。知我如此，不如无生。

牂羊坟首[④]，三星在罶。人可以食，鲜可以饱。

【注释】

①苕（tiáo）：植物名。②芸（yún）其：一片黄色的样子。③维其：何其。④牂（zāng）羊：母羊。坟：大。

何草不黄

何草不黄，何日不行[①]。何人不将[②]，经营四方。

何草不玄[3]，何人不矜[4]。哀我征夫，独为匪民。
匪兕匪虎[5]，率彼旷野[6]。哀我征夫，朝夕不暇。
有芃者狐[7]，率彼幽草。有栈之车[8]，行彼周道。

【注释】

①行：出行。②将：出征。③玄：发黑腐烂。④矜（guān）：通“鳏”，无妻者。⑤兕（sì）：野牛。⑥率：沿着。⑦芃（péng）：形容兽毛蓬松。⑧栈：役车高高的样子。

大雅

文王

文王在上，於昭于天。周虽旧邦，其命维新。有周不显，帝命不时。文王陟降[1]，在帝左右。

亹亹文王[2]，令闻不已[3]。陈锡哉周，侯文王孙子。文王孙子，本支百世。凡周之士，不显亦世[4]。

世之不显，厥犹翼翼[5]。思皇多士，生此王国。王国克生，维周之桢[6]。济济多士，文王以宁。

穆穆文王，於缉熙敬止[7]。假哉天命，有商孙子。商之孙子，其丽不亿[8]。上帝既命，侯于周服。

侯服于周，天命靡常[9]。殷士肤敏，裸将于京。厥作裸将，常服黼冔。王之荩臣[10]。无念尔祖。

无念尔祖，聿修厥德。永言配命，自求多福。殷之未丧师[11]，克配上帝[12]。宜鉴于殷，骏命不易。

命之不易，无遏尔躬。宣昭义问，有虞殷自天。上天之载，无声无臭。仪刑文王[13]，万邦作孚。

【注释】

①陟降：上行曰陟，下行曰降。②亹（wěi）亹：勤勉不倦貌。③令闻：美好的名声。④亦世：犹“奕世”，即累世。⑤厥：其。犹：同“猷”，谋划。⑥桢（zhēn）：支柱，骨干。⑦缉熙：光明。⑧其丽不亿：其数极多。⑨靡常：无常。⑩荩（jìn）臣：进用之臣。⑪丧师：指丧失民心。⑫克配上帝：可以与上天之意相称。⑬仪刑：效法。

大明

明明在下，赫赫在上。天难忱斯[1]，不易维王。天位殷適[2]，使不挟四方。

挚仲氏任[3]，自彼殷商。来嫁于周，曰嫔于京[4]。乃及王季，维德之行。

大任有身[5]，生此文王。维此文王，小心翼翼。昭事上帝[6]，聿怀多福。厥德不回，以受方国[7]。

天监在下，有命既集[8]。文王初载，天作之合。在洽之阳[9]，在渭之涘[10]。

文王嘉止[11]，大邦有子。大邦有子，伣天之妹[12]。文定厥祥[13]，亲迎于渭。造舟为梁，不显其光。

有命自天，命此文王。于周于京，缵女维莘[14]。长子维行，笃生武王。保右命尔，燮伐大商[15]。

殷商之旅[16]，其会如林[17]。矢于牧野[18]，维予侯兴。上帝临女，无贰尔心！

牧野洋洋[19]，檀车煌煌[20]，驷騵彭彭[21]。维师尚父[22]，时维鹰扬。凉彼武王[23]，肆伐大商[24]，会朝清明[25]。

【注释】

①忱：信任。②適：通“嫡”，嫡子。③挚：古诸侯国名。④嫔（pín）：为妇。⑤有身：有孕。⑥昭：勤勉。⑦方国：四方诸侯之国。⑧集：就。⑨洽（hé）：水名，源出陕西郃阳。⑩渭：水名，经陕西，入黄河。涘（sì）：水边。⑪嘉止：嘉礼，指婚礼。⑫伣（qiàn）：如，好比。⑬文定：订婚礼。⑭缵（zuǎn）：美好。莘（shēn）：国名。⑮燮：进攻。⑯旅：众，指军队。⑰会：通“旝”，军旗。⑱矢：誓师。⑲洋洋：广大的样子。⑳煌煌：鲜明的样子。㉑騵（yuán）：赤毛白腹的马。彭彭：形容强壮有力。㉒师尚父：指太师吕尚，即姜太公。㉓凉：假借为“亮”，辅佐。㉔肆伐：疾伐。㉕会：适逢。

绵

绵绵瓜瓞[1]，民之初生[2]，自土沮漆[3]。古公亶父[4]，陶复陶穴[5]，未有家室。

古公亶父，来朝走马。率西水浒，至于岐下。爰及姜女，聿来胥宇[6]。

周原膴膴[7]，堇荼如饴[8]。爰始爰谋，爰契我龟[9]。曰止曰时，筑室于兹。

乃慰乃止，乃左乃右。乃疆乃理[10]，乃宣乃亩[11]。自西徂东，周爰执事。

乃召司空[12]，乃召司徒[13]，俾立室家。其绳则直，缩版以载，作庙翼翼。

捄之陾陾[14]，度之薨薨[15]。筑之登登[16]，削屡冯冯[17]。百堵皆兴，鼛鼓弗胜[18]。

乃立皋门，皋门有伉[19]。乃立应门，应门将将[20]。乃立冢土，戎丑攸行。

肆不殄厥愠[21]，亦不陨厥问。柞棫拔矣，行道兑矣。混夷駾矣[22]，维其喙矣[23]。

虞芮质厥成，文王蹶厥生[24]。予曰有疏附，予曰有先后，予曰有奔奏，予曰有御侮。

【注释】

①绵绵：不绝貌。瓞（dié）：大瓜曰瓜，小瓜曰瓞。②民：周人。③土：杜，水名。沮、漆：二水名，在今陕西省境内。④古公亶（dǎn）父：周文王祖父。古公是号，亶父是名。⑤陶：冶烧。复：藏谷物的地窖。⑥胥宇：考察建房的地址。⑦膴（wǔ）膴：肥沃的样子。⑧堇（jǐn）：旱芹。荼（tú）：苦菜。饴（yí）：麦芽糖。⑨契：指刻龟甲占卜。⑩疆：划分疆界。理：治理。⑪宣：以耒耜耕田。⑫司空：管工程的官。⑬司徒：管徒役的官。⑭陾（réng）陾：众多貌。⑮度（duó）：填土。薨（hōng）薨：填土声。⑯登登：用力捣土声。⑰屡：土墙隆起的部分。冯（píng）冯：削土声。⑱鼛（gāo）：大鼓。⑲皋门：王都的郭门。伉（kàng）：高大。⑳将（qiāng）将：庄严。㉑殄（tiǎn）：断绝。㉒駾（tuì）：逃窜。㉓喙（huì）：困倦。㉔蹶（guì）：感动。

棫朴

芃芃棫朴，薪之槱之[1]。济济辟王[2]，左右趣之[3]。
济济辟王，左右奉璋。奉璋峨峨[4]，髦士攸宜[5]。
淠彼泾舟，烝徒楫之[6]。周王于迈[7]，六师及之。
倬彼云汉[8]，为章于天。周王寿考，遐不作人。
追琢其章[9]，金玉其相。勉勉我王，纲纪四方。

【注释】

①槱（yǒu）：聚积木柴以备燃烧。②辟（bì）王：君王。③趣（qū）：

趋向，归向。④峨峨：盛装壮美的样子。⑤髦士：优秀之士。⑥烝徒：众人。⑦于迈：出征。⑧倬（zhuō）：广大。⑨追：通“雕”。追琢，即雕琢。

旱麓

瞻彼旱麓[①]，榛楛济济。岂弟君子，干禄岂弟[②]。
瑟彼玉瓒，黄流在中。岂弟君子，福禄攸降[③]。
鸢飞戾天，鱼跃于渊。岂弟君子，遐不作人[④]。
清酒既载，骍牡既备。以享以祀，以介景福。
瑟彼柞棫，民所燎矣。岂弟君子，神所劳矣。
莫莫葛藟，施于条枚。岂弟君子，求福不回[⑤]。

【注释】

①旱麓：旱山山脚。②干：求。③攸：所。④遐：通“胡”，何。⑤回：邪僻。

思齐

思齐大任[①]，文王之母。思媚周姜，京室之妇。大姒嗣徽音，则百斯男。

惠于宗公，神罔时怨，神罔时恫[②]。刑于寡妻[③]，至于兄弟，以御于家邦。

雝雝在宫[④]，肃肃在庙。不显亦临，无射亦保[⑤]。

肆戎疾不殄，烈假不瑕[⑥]。不闻亦式，不谏亦入。

肆成人有德，小子有造[⑦]。古之人无斁，誉髦斯士。

【注释】

①齐（zhāi）：通“斋”，端庄貌。②恫（tōng）：哀痛。③刑：同

“型”，典型，典范。寡妻：嫡妻。④雍（yōng）雍：和洽貌。宫：家。⑤无射（yì）：即“无斁”，不厌倦。⑥烈假：指害人的疾病。⑦小子：儿童。

皇矣

皇矣上帝，临下有赫。监观四方，求民之莫①。维此二国，其政不获。维彼四国，爰究爰度。上帝耆之②，憎其式廓。乃眷西顾，此维与宅。

作之屏之③，其菑其翳④。修之平之，其灌其栵⑤。启之辟之，其柽其椐⑥。攘之剔之⑦，其檿其柘⑧。帝迁明德，串夷载路。天立厥配，受命既固。

帝省其山⑨，柞棫斯拔，松柏斯兑⑩。帝作邦作对，自大伯王季。维此王季，因心则友。则友其兄，则笃其庆。载锡之光，受禄无丧，奄有四方。

维此王季，帝度其心，貊其德音⑪。其德克明，克明克类，克长克君。王此大邦，克顺克比。比于文王，其德靡悔。既受帝祉，施于孙子。

帝谓文王，无然畔援⑫，无然歆羡，诞先登于岸。密人不恭，敢距大邦，侵阮徂共。王赫斯怒，爰整其旅，以按徂旅。以笃于周祜⑬，以对于天下。

依其在京，侵自阮疆，陟我高冈⑭。无矢我陵，我陵我阿。无饮我泉，我泉我池。度其鲜原，居岐之阳，在渭之将，万邦之方，下民之王。

帝谓文王，予怀明德，不大声以色，不长夏以革。不识不知，顺帝之则。帝谓文王，询尔仇方，同尔兄弟。以尔钩援⑮，与尔临冲，以伐崇墉。

临冲闲闲，崇墉言言。执讯连连，攸馘安安⑯。是类是祃[17]，是致是附，四方以无侮。临冲茀茀[18]，崇墉仡仡[19]。是伐是肆[20]，是绝是忽[21]，四方以无拂[22]。

【注释】

①莫：疾苦。②耆：意之所向。③作：斫，砍伐树木。④菑（zī）：直立而死的树。翳：倒地而死的树。⑤栵（lì）：再生的枝杈。⑥柽（chēng）：河柳，三春柳。椐（jū）：灵寿木。⑦攘：排除。⑧檿（yǎn）：山桑。柘（zhè）：黄桑。⑨省（xǐng）：察看。⑩兑（duì）：直立。⑪貊（mò）：静。⑫畔援：跋扈。⑬祜（hù）：福。⑭陟（zhì）：登。⑮钩援：古代攻城的兵器。⑯攸馘（guó）：古代战争时割敌左耳以计数献功。⑰祃（mà）：至所征之地举行的祭祀。⑱茀茀：强盛的样子。⑲仡（yì）仡：高大的样子。⑳肆：杀。㉑忽：灭绝。㉒拂：违背，抗拒。

灵台

经始灵台[1]，经之营之。庶民攻之，不日成之。经始勿亟，庶民子来。

王在灵囿，麀鹿攸伏[2]。麀鹿濯濯，白鸟翯翯[3]。王在灵沼，於牣鱼跃[4]。

虡业维枞[5]，贲鼓维镛[6]。於论鼓钟[7]，於乐辟廱。

於论鼓钟，於乐辟廱。鼍鼓逢逢[8]，矇瞍奏公[9]。

【注释】

①经始：开始计划营建。②麀（yōu）鹿：母鹿。③翯（hè）翯：洁白。④牣（rèn）：满。⑤虡（jù）：悬钟的木架。⑥贲（fén）：借为“鼖”，大鼓。⑦论：通“伦”，有次序。⑧鼍（tuó）：扬子鳄。⑨矇（měng）、瞍（sǒu）：古代对盲人的两种称呼。

下武

下武维周[1]，世有哲王。三后在天，王配于京[2]。
王配于京，世德作求。永言配命，成王之孚。
成王之孚，下土之式。永言孝思[3]，孝思维则。
媚兹一人[4]，应侯顺德。永言孝思，昭哉嗣服。
昭兹来许，绳其祖武。于万斯年，受天之祜。
受天之祜，四方来贺。于万斯年，不遐有佐。

【注释】

①下武：在后继承。②配：指上应天命。③孝思：孝顺先人。④媚：爱戴。

文王有声

文王有声，遹骏有声。遹求厥宁，遹观厥成。文王烝哉！

文王受命，有此武功。既伐于崇，作邑于丰。文王烝哉！

筑城伊淢[1]，作丰伊匹。匪棘其欲，遹追来孝。王后烝哉！

王公伊濯[2]，维丰之垣。四方攸同，王后维翰。王后烝哉！

丰水东注，维禹之绩。四方攸同，皇王维辟。皇王烝哉！

镐京辟廱，自西自东，自南自北，无思不服。皇王烝哉！

考卜维王，宅是镐京[3]。维龟正之，武王成之。武王烝哉！

丰水有芑，武王岂不仕？诒厥孙谋，以燕翼子。武王烝哉！

【注释】

①淢（xù）：假借为“洫”，即护城河。②濯：本义是洗涤，引申为“光大”义。③宅：指择吉祥之地营建宫室。

生民

厥初生民[1]，时维姜嫄[2]。生民如何，克禋克祀[3]，以弗无子。履帝武敏歆[4]，攸介攸止[5]。载震载夙[6]，载生载育，时维后稷。

诞弥厥月[7]，先生如达。不坼不副[8]，无菑无害[9]，以赫厥灵。上帝不宁，不康禋祀，居然生子。

诞置之隘巷，牛羊腓字之[10]。诞置之平林，会伐平林。诞置之寒冰，鸟覆翼之。鸟乃去矣，后稷呱矣。实覃实讦[11]，厥声载路。

诞实匍匐[12]，克岐克嶷[13]，以就口食。艺之荏菽[14]，荏菽旆旆[15]。禾役穟穟[16]，麻麦幪幪[17]，瓜瓞唪唪[18]。

诞后稷之穑，有相之道。茀[19]厥丰草，种之黄茂。实方实苞，实种实褎[20]，实发实秀；实坚实好，实颖实栗，即有邰家室。

诞降嘉种：维秬维秠[21]，维穈维芑[22]。恒之秬秠，是获是亩。恒之穈芑，是任是负，以归肇祀。

诞我祀如何？或舂或揄[23]，或簸或蹂。释之叟叟[24]，烝之浮浮。载谋载惟，取萧祭脂。取羝以軷[25]，载燔载烈。以兴嗣岁。

卬盛于豆，于豆于登，其香始升。上帝居歆，胡臭亶时[26]。后稷肇祀，庶无罪悔，以迄于今。

【注释】

①厥初：其初，当初。②姜嫄（yuán）：传说中周始祖后稷之母。③禋（yīn）：祭天的礼仪。④履：踏。武：足迹。敏：大拇趾。歆：心有所感。⑤攸：语助词。⑥震：通“娠”。夙：生活严肃。⑦弥：满。⑧坼（chè）：裂开。副（pì）：破裂。⑨菑（zāi）：同“灾”。⑩腓（féi）：庇护。字：乳养。⑪覃（tán）：长。讦（xū）：大。⑫匍匐：爬行。⑬岐：知意。嶷：认识。⑭艺：种植。荏菽：大豆。⑮旆（pèi）旆：草木茂盛。⑯穟（suì）穟：禾苗茂盛美好的样子。⑰幪（měng）幪：茂盛。⑱唪（běng）唪：结实累累貌。⑲茀：拔除。⑳褎（yòu）：禾苗渐渐长高。㉑秬（jù）：黑黍。秠（pī）：黍的一种。㉒穈（mén）：赤苗，红米。芑（qǐ）：白苗，白米。㉓揄（yóu）：舀。㉔释：淘米。叟叟：淘米的声音。㉕羝（dī）：公羊。軷（bó）：剥羊的皮。㉖臭（xiù）：香气。亶（dǎn）时：诚善。

行苇

敦彼行苇[1]，牛羊勿践履。方苞方体[2]，维叶泥泥[3]。戚戚兄弟，莫远具尔。或肆之筵[4]，或授之几。

肆筵设席，授几有缉御[5]。或献或酢，洗爵奠斝[6]。醓醢以荐[7]，或燔或炙。嘉殽脾臄[8]，或歌或咢[9]。

敦弓既坚[10]，四鍭既钧，舍矢既均，序宾以贤。敦弓既句，既挟四鍭。四鍭如树，序宾以不侮。

曾孙维主，酒醴维醹；酌以大斗，以祈黄耇[11]。黄耇台背，以引以翼。寿考维祺，以介景福。

【注释】

①敦（tuán）：草丛生貌。②方苞：始茂。③泥泥：叶润泽貌。④肆：陈设。⑤缉御：有人侍候。⑥洗爵：周时礼制。⑦醓（tǎn）：多汁的肉酱。⑧脾：通“膍”，牛胃。臄（jué）：牛舌。⑨咢（è）：只打鼓不伴唱。⑩敦弓：雕弓。⑪黄耇（gǒu）：年高长寿。

既醉

既醉以酒，既饱以德。君子万年，介尔景福[①]。
既醉以酒，尔殽既将[②]。君子万年，介尔昭明[③]。
昭明有融[④]，高朗令终[⑤]。令终有俶[⑥]，公尸嘉告。
其告维何，笾豆静嘉。朋友攸摄，摄以威仪。
威仪孔时，君子有孝子。孝子不匮，永锡尔类。
其类维何，室家之壸。君子万年，永锡祚胤。
其胤维何，天被尔禄。君子万年，景命有仆。
其仆维何，釐尔女士。釐尔女士，从以孙子。

【注释】

①介：借为“丐”，施与。②将：美。③昭明：光明。④有融：盛长之貌。⑤令终：好的结果。⑥俶（chù）：始。

凫鹥

凫鹥在泾，公尸来燕来宁[①]。尔酒既清，尔殽既馨。公尸燕饮，福禄来成。

凫鹥在沙，公尸来燕来宜。尔酒既多，尔殽既嘉。公尸燕饮，福禄来为[②]。

凫鹥在渚，公尸来燕来处[③]。尔酒既湑[④]，尔殽伊脯。公尸燕饮，福禄来下。

凫鹥在潨[⑤]，公尸来燕来宗[⑥]。既燕于宗，福禄攸降。公尸燕饮，福禄来崇。

凫鹥在亹[⑦]，公尸来止熏熏。旨酒欣欣，燔炙芬芬。公尸燕饮，无有后艰。

【注释】

①尸：神主。②为：施，加。③处：安乐。④湑（xǔ）：过滤。⑤潨（cōng）：水流汇合之处。⑥宗：尊敬。⑦亹（mén）：对峙如门的山峡口。

假乐

假乐君子[①]，显显令德。宜民宜人，受禄于天。保右命之，自天申之。

干禄百福，子孙千亿。穆穆皇皇，宜君宜王。不愆不忘[②]，率由旧章[③]。

威仪抑抑，德音秩秩。无怨无恶，率由群匹。受福无疆，四方之纲。

之纲之纪，燕及朋友。百辟卿士，媚于天子。不解于位，民之攸塈[④]。

【注释】

①假：通“嘉”，美好。②愆（qiān）：过失。忘：糊涂。③率：循。由：从。④塈（xì）：安宁。

公刘

笃公刘[1]，匪居匪康。乃埸乃疆[2]，乃积乃仓，乃裹糇粮[3]。于橐于囊[4]，思辑用光[5]。弓矢斯张，干戈戚扬[6]，爰方启行[7]。

笃公刘，于胥斯原[8]。既庶既繁，既顺乃宣[9]，而无永叹。陟则在𪩘[10]，复降在原。何以舟之，维玉及瑶，鞞琫容刀[11]。

笃公刘，逝彼百泉，瞻彼溥原。乃陟南冈，乃觏于京[12]。京师之野，于时处处，于时庐旅[13]。于时言言，于时语语。

笃公刘，于京斯依。跄跄济济，俾筵俾几。既登乃依，乃造其曹。执豕于牢，酌之用匏[14]。食之饮之，君之宗之。

笃公刘，既溥既长，既景乃冈。相其阴阳，观其流泉。其军三单[15]，度其隰原[16]，彻田为粮。度其夕阳，豳居允荒。

笃公刘，于豳斯馆。涉渭为乱，取厉取锻[17]。止基乃理，爰众爰有。夹其皇涧，溯其过涧。止旅乃密，芮鞫之即[18]。

【注释】

①笃：忠厚。②埸（yì）：田界。③糇（hóu）粮：干粮。④橐（tuó）：无底的口袋。囊：有底的口袋。⑤辑：和睦。⑥干：盾牌。戚：斧。扬：大斧，亦名钺。⑦爰：语助词。方：开始。⑧胥：察看。⑨宣：通畅。⑩𪩘（yǎn）：小山。⑪鞞（bǐng）：刀鞘。琫（běng）：刀鞘上的玉饰。⑫觏（gòu）：遇见。⑬庐旅：宾旅馆舍。⑭匏：葫芦。⑮单（shàn）：通“禅”，轮流代替。⑯隰（xí）原：低平之地。⑰厉：通

“砺”，磨刀石。⑱芮（ruì）：水涯，水边向内凹处。鞫（jū）：水曲，水边向外凸处。

泂酌

泂酌彼行潦①，挹彼注兹②，可以饙饎③。岂弟君子，民之父母。

泂酌彼行潦，挹彼注兹，可以濯罍。岂弟君子，民之攸归。

泂酌彼行潦，挹彼注兹，可以濯溉。岂弟君子，民之攸塈。

【注释】

①泂（jiǒng）：远。行潦（háng lǎo）：路边的积水。②挹（yì）：舀出。③饙（fēn）：蒸。饎（chì）：饭食。

卷阿

有卷者阿①，飘风自南。岂弟君子②，来游来歌，以矢其音③。

伴奂尔游矣④，优游尔休矣。岂弟君子，俾尔弥尔性⑤，似先公酋矣⑥。

尔土宇昄章⑦，亦孔之厚矣。岂弟君子，俾尔弥尔性，百神尔主矣。

尔受命长矣，茀禄尔康矣⑧。岂弟君子，俾尔弥尔性，纯嘏尔常矣⑨。

有冯有翼⑩，有孝有德，以引以翼。岂弟君子，四方为则。

颙颙卬卬[11]，如圭如璋，令闻令望。岂弟君子，四方为纲。

凤皇于飞，翙翙其羽[12]，亦集爰止。蔼蔼王多吉士[13]，维君子使，媚于天子。

凤皇于飞，翙翙其羽，亦傅于天。蔼蔼王多吉人，维君子命，媚于庶人。

凤皇鸣矣，于彼高冈。梧桐生矣，于彼朝阳。菶菶萋萋[14]，雝雝喈喈[15]。

君子之车，既庶且多。君子之马，既闲且驰。矢诗不多，维以遂歌。

【注释】

①卷（quán）：曲折。阿（ē）：大的丘陵。②岂弟（kǎi tì）：和乐平易。③矢：陈述。④伴奂：优游闲暇。⑤弥：终。性：生命。⑥似：同“嗣”，继承。酋：终，完成。⑦昄（bǎn）章：版图。⑧茀（fú）禄：福禄。⑨纯嘏（gǔ）：大福。⑩冯（píng）：依托。翼：庇护。⑪颙（yóng）颙：温和恭敬。卬（áng）卬：气宇轩昂。⑫翙（huì）翙：众多。⑬蔼蔼：众多的样子。⑭菶（běng）菶：形容梧桐茂盛的样子。⑮雝雝喈（jiē）喈：鸟鸣和谐声。

民劳

民亦劳止，汔可小康。惠此中国[1]，以绥四方。无纵诡随[2]，以谨无良。式遏寇虐，憯不畏明[3]。柔远能迩，以定我王。

民亦劳止，汔可小休。惠此中国，以为民逑。无纵诡随，以谨惛怓[4]。式遏寇虐，无俾民忧。无弃尔劳，以为王休[5]。

民亦劳止，汔可小息。惠此京师，以绥四国。无纵诡随，以谨罔极。式遏寇虐，无俾作慝[6]。敬慎威仪，以近有德。

民亦劳止，汔可小愒。惠此中国，俾民忧泄。无纵诡随，以谨丑厉[7]。式遏寇虐，无俾正败。戎虽小子，而式弘大。

民亦劳止，汔可小安。惠此中国，国无有残。无纵诡随，以谨缱绻。式遏寇虐，无俾正反[8]。王欲玉女，是用大谏。

【注释】

①中国：周王朝直接统治的地区。②诡随：诡诈欺骗。③憯（cǎn）：曾，乃。④惽怓（hūn náo）：喧嚷争吵。⑤休：美，此指利益。⑥慝（tè）：恶。⑦丑厉：恶人。⑧正反：政治颠倒。

板

上帝板板[1]，下民卒瘅[2]。出话不然，为犹不远[3]。靡圣管管[4]，不实于亶[5]。犹之未远，是用大谏。

天之方难，无然宪宪[6]。天之方蹶[7]，无然泄泄[8]。辞之辑矣，民之洽矣。辞之怿矣[9]，民之莫矣[10]。

我虽异事[11]，及尔同寮。我即尔谋，听我嚣嚣[12]。我言维服，勿以为笑。先民有言，询于刍荛[13]。

天之方虐，无然谑谑[14]。老夫灌灌[15]，小子跻跻[16]。匪我言耄，尔用忧谑。多将熇熇[17]，不可救药。

天之方侪[18]，无为夸毗[19]。威仪卒迷，善人载尸。民之方殿屎[20]，则莫我敢葵[21]。丧乱蔑资[22]，曾莫惠我师。

天之牖民[23]，如埙如篪[24]。如璋如圭，如取如携。携无曰益，牖民孔易。民之多辟，无自立辟。

价人维藩[25]，大师维垣。大邦维屏，大宗维翰。怀德维宁，宗子维城。无俾城坏，无独斯畏。

敬天之怒，无敢戏豫。敬天之渝，无敢驰驱[26]。昊天曰明，及尔出王[27]。昊天曰旦，及尔游衍[28]。

【注释】

①板板：反常。②卒瘅（cuì dàn）：劳累多病。③犹：通“猷”，谋划。④管管：无所依靠。⑤亶（dǎn）：诚信。⑥宪宪：欢欣，喜悦。⑦蹶：动乱。⑧泄（yì）泄：多嘴多舌。⑨怿：喜悦。⑩莫：勉力。⑪异事：指职务不同。⑫嚣（áo）嚣：不接受意见。⑬刍荛（ráo）：樵夫。⑭谑谑：嬉笑。⑮灌灌：诚恳。⑯跻（jué）跻：傲慢。⑰熇（hè）熇：火势炽盛。⑱懠（qí）：愤怒。⑲夸毗：卑躬屈膝，谄媚顺从。⑳殿屎（xī）：痛苦呻吟声。㉑葵：通“揆”，猜测。㉒蔑资：无财。㉓牖：通“诱”，诱导。㉔埙：陶制椭圆形吹奏乐器。篪（chí）：竹制管乐器。㉕价：同“介”，善。㉖驰驱：指放纵自恣。㉗王（wǎng）：通“往”。㉘游衍：游逛。

荡

荡荡上帝[1]，下民之辟[2]。疾威上帝，其命多辟。天生烝民，其命匪谌[3]。靡不有初，鲜克有终。

文王曰咨，咨女殷商。曾是彊御[4]，曾是掊克[5]。曾是在位，曾是在服。天降滔德[6]，女兴是力。

文王曰咨，咨女殷商。而秉义类，彊御多怼[7]。流言以对，寇攘式内[8]。侯作侯祝，靡届靡究。

文王曰咨，咨女殷商。女炰烋于中国[9]，敛怨以为德。不明尔德，时无背无侧。尔德不明，以无陪无卿。

文王曰咨，咨女殷商。天不湎尔以酒[10]，不义从式。既愆尔止，靡明靡晦。式号式呼，俾昼作夜。

文王曰咨，咨女殷商。如蜩如螗[11]，如沸如羹。小大近丧，人尚乎由行。内奰于中国[12]，覃及鬼方[13]。

文王曰咨，咨女殷商。匪上帝不时，殷不用旧。虽无老成人，尚有典刑。曾是莫听，大命以倾。

文王曰咨，咨女殷商。人亦有言，颠沛之揭[14]，枝叶未有害，本实先拨。殷鉴不远，在夏后之世。

【注释】

①荡荡：法度败坏。②辟（bì）：君王。③谌（chén）：诚信。④彊御：强暴。⑤掊（póu）克：聚敛。⑥滔：倨慢。⑦怼（duì）：怨恨。⑧攘（rǎng）：掠取。⑨炰烋（páo xiāo）：同“咆哮”。⑩湎（miǎn）：沉迷。⑪蜩（tiáo）：蝉。螗（táng）：蝉的一种。⑫奰（bì）：愤怒。⑬覃（tán）：延及。鬼方：指远方。⑭颠沛：跌倒，指树木倒下。揭：高举，指树根翻出。

抑

抑抑威仪[1]，维德之隅[2]。人亦有言，靡哲不愚。庶人之愚，亦职维疾。哲人之愚，亦维斯戾[3]。

无竞维人，四方其训之。有觉德行，四国顺之。讦谟定命[4]，远犹辰告。敬慎威仪，维民之则。

其在于今，兴迷乱于政。颠覆厥德，荒湛于酒[5]。女虽湛乐从，弗念厥绍[6]。罔敷求先王[7]，克共明刑。

肆皇天弗尚，如彼泉流，无沦胥以亡。夙兴夜寐，洒埽庭内，维民之章。修尔车马，弓矢戎兵，用戒戎作，用逷蛮方[8]。

质尔人民[9]，谨尔侯度，用戒不虞。慎尔出话，敬尔威仪，无不柔嘉[10]。白圭之玷，尚可磨也；斯言之玷，不可为也。

无易由言，无曰苟矣，莫扪朕舌，言不可逝矣。无言不雠[11]，无德不报。惠于朋友，庶民小子。子孙绳绳[12]，万民靡不承。

视尔友君子，辑柔尔颜[13]，不遐有愆。相在尔室，尚不愧于屋漏[14]。无曰不显，莫予云觏。神之格思，不可度思，矧可射思[15]。

辟尔为德，俾臧俾嘉。淑慎尔止，不愆于仪。不僭不贼，鲜不为则。投我以桃，报之以李。彼童而角[16]，实虹小子[17]。

荏染柔木[18]，言缗之丝[19]。温温恭人，维德之基。其维哲人，告之话言，顺德之行。其维愚人，覆谓我僭，民各有心。

於乎小子，未知臧否。匪手携之，言示之事。匪面命之，言提其耳。借曰未知，亦既抱子。民之靡盈，谁夙知而莫成？

昊天孔昭，我生靡乐。视尔梦梦[20]，我心惨惨。诲尔谆谆，听我藐藐。匪用为教，覆用为虐。借曰未知，亦聿既耄。

於乎小子，告尔旧止。听用我谋，庶无大悔。天方艰难，曰丧厥国。取譬不远，昊天不忒[21]。回遹其德[22]，俾民大棘。

【注释】

①抑抑：慎审貌，谦谨貌。②隅（yú）：偶的假借，匹配。③戾（lì）：罪。④讦（xū）谟：大谋。⑤荒湛（dān）：沉迷。⑥绍：继承。⑦敷：广。⑧逷（tì）：治服。⑨质：告诫。⑩柔嘉：安善。⑪雠（chóu）：答。⑫绳绳（mǐn

mǐn）：谨慎。⑬辑柔：和安。⑭屋漏：有日光从屋顶漏入，喻指神明。⑮射（yì）：通“斁”，厌。⑯童：小羊羔。⑰虹：同“讧”，溃乱。⑱荏（rěn）染：坚韧。⑲緡（mín）：给乐器安弦。⑳梦（méng）梦：昏而不明。㉑忒（tè）：偏差。㉒回遹（yù）：邪僻。

桑柔

菀彼桑柔[1]，其下侯旬[2]。捋采其刘[3]，瘼此下民[4]。不殄心忧[5]，仓兄填兮[6]。倬彼昊天[7]，宁不我矜。

四牡骙骙[8]，旟旐有翩[9]。乱生不夷，靡国不泯。民靡有黎，具祸以烬。於乎有哀，国步斯频[10]。

国步蔑资，天不我将。靡所止疑，云徂何往？君子实维，秉心无竞。谁生厉阶，至今为梗。

忧心慇慇[11]，念我土宇。我生不辰，逢天僤怒[12]，自西徂东，靡所定处。多我觏痻[13]，孔棘我圉[14]。

为谋为毖[15]，乱况斯削。告尔忧恤，诲尔序爵。谁能执热，逝不以濯？其何能淑，载胥及溺。

如彼遡风，亦孔之僾[16]。民有肃心，荓云不逮[17]。好是稼穑，力民代食。稼穑维宝，代食维好。

天降丧乱，灭我立王。降此蟊贼[18]，稼穑卒痒。哀恫中国，具赘卒荒。靡有旅力，以念穹苍。

维此惠君，民人所瞻。秉心宣犹，考慎其相。维彼不顺，自独俾臧。自有肺肠，俾民卒狂。

瞻彼中林，甡甡其鹿[19]。朋友已谮[20]，不胥以穀。人亦有言，进退维谷。

维此圣人，瞻言百里。维彼愚人，覆狂以喜。匪言不能，胡斯畏忌。

维此良人，弗求弗迪。维彼忍心，是顾是复。民之贪乱，宁为荼毒[21]。

大风有隧，有空大谷。维此良人，作为式穀。维彼不顺，征以中垢。

大风有隧，贪人败类。听言则对，诵言如醉。匪用其良，覆俾我悖。

嗟尔朋友，予岂不知而作。如彼飞虫，时亦弋获。既之阴女，反予来赫。

民之罔极，职凉善背[22]。为民不利，如云不克。民之回遹，职竞用力。

民之未戾，职盗为寇。凉曰不可，覆背善詈[23]。虽曰匪予，既作尔歌。

【注释】

①菀（wǎn）：茂盛。②旬：树荫遮蔽均匀。③刘：桑叶稀疏。④瘼（mò）：病。⑤殄（tiǎn）：断绝。⑥仓兄（chuàng huǎng）：同“怆怳”，凄凉纷乱貌。⑦倬（zhuō）彼：即“倬倬”，光明。⑧骙（kuí）骙：形容马奔驰不停。⑨旟旐（yú zhào）：画有鹰隼、龟蛇的旗。⑩频：危急。⑪慇（yīn）慇：心痛的样子。⑫僤（dàn）怒：大怒。⑬痻（mín）：灾难。⑭圉（yǔ）：边疆。⑮毖：谨慎。⑯僾（ài）：窒息。⑰荓（pīng）：使。⑱蟊（máo）贼：蟊为食苗根的害虫，贼为吃苗节的害虫。⑲甡（shēn）甡：同“莘莘”，众多。⑳谮（jiàn）：中伤。㉑荼毒：毒害。㉒职：主张。凉：刻薄。㉓詈（lì）：骂。

云汉

倬彼云汉[①]，昭回于天。王曰於乎，何辜今之人！天降丧乱，饥馑荐臻[②]。靡神不举，靡爱斯牲。圭璧既卒，宁莫我听。

旱既大甚，蕴隆虫虫[③]。不殄禋祀，自郊徂宫。上下奠瘗[4]，靡神不宗。后稷不克，上帝不临。耗斁下土[5]，宁丁我躬。

旱既大甚，则不可推。兢兢业业，如霆如雷。周余黎民，靡有孑遗[6]。昊天上帝，则不我遗。胡不相畏，先祖于摧。

旱既大甚，则不可沮。赫赫炎炎，云我无所。大命近止[7]，靡瞻靡顾。群公先正，则不我助。父母先祖，胡宁忍予！

旱既大甚，涤涤山川[8]。旱魃为虐[9]，如惔如焚。我心惮暑，忧心如熏。群公先正，则不我闻。昊天上帝，宁俾我遁[10]！

旱既大甚，黾勉畏去[11]。胡宁瘨我以旱[12]，憯不知其故[13]。祈年孔夙，方社不莫。昊天上帝，则不我虞。敬恭明神，宜无悔怒。

旱既大甚，散无友纪。鞫哉庶正[14]，疚哉冢宰。趣马师氏，膳夫左右。靡人不周，无不能止。瞻卬昊天，云如何里！

瞻卬昊天，有嘒其星[15]。大夫君子，昭假无赢。大命近止，无弃尔成。何求为我，以戾庶正。瞻卬昊天，曷惠其宁？

【注释】

①倬（zhuō）：大。云汉：银河。②荐臻（zhēn）：犹言频仍。③蕴隆：谓暑气郁结隆盛。虫虫：热气熏蒸。④瘗（yì）：祭地神。⑤斁（dù）：败坏。⑥孑遗：遗留，剩余。⑦大命：寿命。⑧涤涤：光秃枯竭。⑨旱魃（bá）：传说中的旱神。⑩遁：困。⑪黾（mǐn）勉：勉力。⑫瘨（diān）：病，害。⑬憯（cǎn）：曾，竟然。⑭鞫（jū）：穷困。⑮有嘒（huì）：微小而众多。这是天晴无雨的象征。

崧高

崧高维岳①，骏极于天②。维岳降神，生甫及申。维申及甫，维周之翰。四国于蕃，四方于宣。

亹亹申伯③，王缵之事④。于邑于谢，南国是式⑤。王命召伯，定申伯之宅。登是南邦，世执其功。

王命申伯，式是南邦。因是谢人，以作尔庸⑥。王命召伯，彻申伯土田。王命傅御，迁其私人。

申伯之功，召伯是营，有俶其城⑦。寝庙既成，既成藐藐⑧。王锡申伯，四牡跻跻⑨，钩膺濯濯⑩。

王遣申伯，路车乘马。我图尔居，莫如南土。锡尔介圭，以作尔宝。往迈王舅⑪，南土是保。

申伯信迈⑫，王饯于郿。申伯还南，谢于诚归。王命召伯，彻申伯土疆。以峙其粻⑬，式遄其行⑭。

申伯番番⑮，既入于谢，徒御啴啴⑯。周邦咸喜，戎有良翰。不显申伯⑰，王之元舅，文武是宪⑱。

申伯之德，柔惠且直。揉此万邦，闻于四国。吉甫作诵，其诗孔硕。其风肆好，以赠申伯。

【注释】

①崧（sōng）：即嵩山。②骏：高大。③亹（wěi）亹：勤勉。④缵：继承。⑤式：模范。⑥庸：通“墉”，城墙。⑦有俶（chù）：新城完美的样子。⑧藐藐：美好。⑨跻（jué）跻：强壮。⑩濯濯：光明。⑪迈（jì）：语助词。⑫信：确实。⑬峙：储备。粻（zhāng）：米粮。⑭遄（chuán）：加速。⑮番（bō）番：勇武。⑯啴（tān）啴：众多。⑰戎：汝，你。⑱宪：法则。

烝民

天生烝民[①]，有物有则。民之秉彝[②]，好是懿德。天监有周，昭假于下[③]。保兹天子，生仲山甫。

仲山甫之德，柔嘉维则。令仪令色，小心翼翼。古训是式，威仪是力。天子是若，明命使赋[④]。

王命仲山甫，式是百辟[⑤]。缵戎祖考[⑥]，王躬是保。出纳王命，王之喉舌[⑦]。赋政于外，四方爰发[⑧]。

肃肃王命，仲山甫将之。邦国若否[⑨]，仲山甫明之。既明且哲，以保其身。夙夜匪解[⑩]，以事一人。

人亦有言，柔则茹之[⑪]，刚则吐之。维仲山甫，柔亦不茹，刚亦不吐。不侮矜寡，不畏强御。

人亦有言，德輶如毛[⑫]，民鲜克举之。我仪图之[⑬]，维仲山甫举之，爱莫助之。衮职有阙[⑭]，维仲山甫补之。

仲山甫出祖，四牡业业。征夫捷捷，每怀靡及。四牡彭彭，八鸾锵锵。王命仲山甫，城彼东方。

四牡骙骙，八鸾喈喈。仲山甫徂齐，式遄其归。吉甫作诵，穆如清风。仲山甫永怀，以慰其心。

【注释】

①烝：众。②秉彝：常理，常性。③假：至。④赋：颁布。⑤辟：君，此指诸侯。⑥缵（zuǎn）：继承。⑦喉舌：代言人。⑧爰发：乃行。⑨否（pǐ）：恶，闭塞。⑩解（xiè）：通“懈”。⑪茹：吃。⑫輶（yóu）：轻。⑬仪图：揣度。⑭职：犹“适”，即适值。

韩奕

奕奕梁山[①]，维禹甸之，有倬其道[②]。韩侯受命，王亲命之。缵戎祖考，无废朕命。夙夜匪解，虔共尔位，朕命不易。干不庭方[3]，以佐戎辟[4]。

四牡奕奕，孔脩且张[5]。韩侯入觐，以其介圭，入觐于王。王锡韩侯，淑旂绥章[6]。簟茀错衡[7]，玄衮赤舄[8]，钩膺镂钖[9]。鞹鞃浅幭[10]，鞗革金厄[11]。

韩侯出祖，止宿于屠。显父饯之，清酒百壶。其殽维何，炰鳖鲜鱼[12]。其蔌维何[13]，维笋及蒲。其赠维何，乘马路车。笾豆有且，侯氏燕胥。

韩侯取妻，汾王之甥，蹶父之子[14]。韩侯迎止，于蹶之里。百两彭彭，八鸾锵锵，不显其光。诸娣从之，祁祁如云[15]。韩侯顾之[16]，烂其盈门。

蹶父孔武，靡国不到。为韩姞相攸[17]，莫如韩乐。孔乐韩土，川泽讦讦[18]。鲂鲊甫甫[19]，麀鹿噳噳[20]，有熊有罴，有猫有虎。庆既令居，韩姞燕誉[21]。

溥彼韩城，燕师所完。以先祖受命，因时百蛮。王锡韩侯，其追其貊[22]。奄受北国，因以其伯。实墉实壑[23]，实亩实籍。献其貔皮[24]，赤豹黄罴。

【注释】

①奕奕：高大。梁山：所在地说法不一，今人多认为其在河北省固安县附近。②倬（zhuō）：宽大。③干（gàn）：匡正。④辟（bì）：君位。⑤孔脩：很长。⑥旂（qí）：绘有蛟龙的旗子。绥章：指旗上花纹优美。⑦簟茀（diàn fú）：遮蔽车厢的竹篷。⑧玄衮：黑色龙袍礼服。赤舄（xì）：贵族穿的红鞋。⑨镂钖（yáng）：马额上的金属饰品。⑩鞹鞃（kuò hóng）：绑在车轼横木上的兽皮。幭（miè）：覆盖。⑪鞗（tiáo）革：马笼头。厄：通“轭”。⑫炰（páo）：烹煮。⑬蔌（sù）：蔬菜。⑭蹶（jué）父：周的卿士。⑮祁祁：盛多。⑯顾：嫁娶之礼。⑰韩姞（jí）：即蹶父之女，姞姓，嫁韩侯为妻，故称韩姞。⑱讦（xū）讦：广大。⑲鲂鲊（fáng xù）：鳊鱼，鲢鱼。甫

甫：大。⑳麀（yōu）：母鹿。噳（yǔ）噳：众多。㉑燕誉：安乐。㉒追（duī）：西方少数民族。貊（mò）：北方少数民族。㉓壑：壕沟。㉔貔（pí）：猛兽名，又名白狐。

江汉

江汉浮浮，武夫滔滔。匪安匪游，淮夷来求[1]。既出我车，既设我旟。匪安匪舒，淮夷来铺[2]。

江汉汤汤，武夫洸洸。经营四方，告成于王。四方既平，王国庶定。时靡有争，王心载宁。

江汉之浒[3]，王命召虎。式辟四方，彻我疆土[4]。匪疚匪棘[5]，王国来极[6]。于疆于理，至于南海。

王命召虎，来旬来宣[7]。文武受命，召公维翰。无曰予小子，召公是似。肇敏戎公，用锡尔祉。

釐尔圭瓒[8]，秬鬯一卣。告于文人[9]，锡山土田。于周受命，自召祖命[10]。虎拜稽首，天子万年。

虎拜稽首[11]，对扬王休[12]。作召公考[13]，天子万寿。明明[14]天子，令闻不已[15]。矢其文德[16]，洽此四国。

【注释】

①求：通“纠”，讨伐。②铺：驻扎。③浒（hǔ）：水边。④彻：治。⑤疚（jiù）：病，害。⑥极：准则。⑦旬：“巡”的假借。⑧釐（lài）：“赉”的假借，赏赐。⑨文人：有文德的人。⑩自：用。召祖：召氏之祖，指召康公。⑪稽（qǐ）首：古时礼节，跪下拱手磕头，手、头都触地。⑫对：报答。扬：颂扬。休：美，此处指美好的赏赐册命。⑬考：“簋”的假借。⑭明明：勉勉。⑮令闻：美好的声誉。⑯矢：“施”的假借。

常武

赫赫明明，王命卿士。南仲大祖，大师皇父①。整我六师②，以修我戎③。既敬既戒④，惠此南国。

王谓尹氏⑤，命程伯休父。左右陈行⑥，戒我师旅。率彼淮浦⑦，省此徐土。不留不处，三事就绪⑧。

赫赫业业⑨，有严天子⑩。王舒保作⑪，匪绍匪游⑫。徐方绎骚，震惊徐方。如雷如霆，徐方震惊。

王奋厥武⑬，如震如怒。进厥虎臣，阚如虓虎⑭。铺敦淮濆⑮，仍执丑虏⑯。截彼淮浦，王师之所。

王旅啴啴⑰，如飞如翰⑱，如江如汉。如山之苞⑲，如川之流。绵绵翼翼⑳，不测不克，濯征徐国㉑。

王犹允塞㉒，徐方既来。徐方既同，天子之功。四方既平，徐方来庭㉓。徐方不回㉔，王曰还归。

【注释】

①大师：职掌军政的大臣。②整：治。六师：六军。③修我戎：整顿我的军备。④敬：借作“儆”。⑤尹氏：掌卿士之官。⑥陈行：列队。⑦率：循。⑧三事：三司，指军中三事大夫。事与“司”通。绪：业。⑨业业：高大的样子。⑩有严：严严，神圣的样子。⑪舒：舒徐。保：安。作：起。⑫绍：急。游：优游，与“绍”对文，指缓。⑬奋厥武：奋发用武。⑭阚（hǎn）如：虎怒的样子。虓（xiāo）：虎啸。⑮铺：韩诗作“敷”，大。敦：屯聚。濆（fén）：高岸。⑯仍：就。丑虏：对敌军的蔑称。⑰啴（tān）啴：人多势众的样子。⑱翰：指鸷鸟。⑲苞：指根基。⑳翼翼：整齐的样子。㉑濯：大。㉒允：诚。塞：实，指谋略不落空。㉓来庭：指朝觐。㉔回：违。

瞻卬

瞻卬昊天[1]，则不我惠。孔填不宁[2]，降此大厉[3]。邦靡有定，士民其瘵[4]。蟊贼蟊疾，靡有夷届。罪罟不收，靡有夷瘳[5]。

人有土田，女反有之。人有民人，女覆夺之。此宜无罪，女反收之[6]。彼宜有罪，女覆说之[7]。哲夫成城，哲妇倾城。

懿厥哲妇[8]，为枭为鸱。妇有长舌，维厉之阶。乱匪降自天，生自妇人。匪教匪诲，时维妇寺[9]。

鞫人忮忒[10]，谮始竟背。岂曰不极，伊胡为慝[11]！如贾三倍，君子是识。妇无公事，休其蚕织。

天何以刺，何神不富？舍尔介狄，维予胥忌。不吊不祥，威仪不类。人之云亡，邦国殄瘁。

天之降罔，维其优矣。人之云亡，心之忧矣。天之降罔，维其几矣。人之云亡，心之悲矣。

觱沸槛泉[12]，维其深矣。心之忧矣，宁自今矣。不自我先，不自我后。藐藐昊天，无不克巩[13]。无忝皇祖，式救尔后[14]。

【注释】

①瞻卬（yǎng）：瞻仰。②填：通“尘”，长久。③厉：祸患。④瘵（zhài）：病，忧患。⑤瘳（chōu）：病愈。⑥收：拘捕。⑦说：通“脱”，开脱。⑧懿（yì）：通“噫”，叹词。⑨寺：亲近的人。⑩鞫（jū）人：奸人。忮（zhì）忒：害人。⑪慝（tè）：恶。⑫觱（bì）沸：泉水上涌。槛泉：喷涌而出的泉水。⑬巩：固。⑭式：用。

诗经

召旻

旻天疾威[1]，天笃降丧[2]。瘨我饥馑[3]，民卒流亡。我居圉卒荒[4]。

天降罪罟[5]，蟊贼内讧。昏椓靡共[6]，溃溃回遹[7]，实靖夷我邦[8]。

皋皋訿訿[9]，曾不知其玷。兢兢业业，孔填不宁[10]，我位孔贬。

如彼岁旱，草不溃茂[11]，如彼栖苴[12]。我相此邦，无不溃止。

维昔之富不如时，维今之疚不如兹[13]。彼疏斯粺[14]，胡不自替[15]？职兄斯引[16]。

池之竭矣，不云自频[17]？泉之竭矣，不云自中？溥斯害矣[18]，职兄斯弘，不烖我躬[19]。

昔先王受命，有如召公，日辟国百里，今也日蹙国百里[20]。於乎哀哉！维今之人，不尚有旧？

【注释】

①旻（mín）天：此泛指天。②笃：厚，重。③瘨（diān）：灾病。④居：国中。圉（yǔ）：边境。⑤罪罟（gǔ）：罪网。⑥昏椓（zhuó）：昏：乱。椓：通"诼"，谗毁。靡共：不供职。共，通"供"。⑦溃溃：昏乱。回遹（yù）：邪僻。⑧靖夷：想毁灭。⑨皋皋：欺诳。訿（zǐ）訿：谗毁。⑩填（chén）：长久。⑪溃：遂。⑫苴（chá）：枯草。⑬疚：贫病。⑭疏：即稷，高粱。粺（bài）：精米。⑮替：废，退。⑯职：主。兄（kuàng）："况"的假借。引：延长。⑰频（bīn）：滨。⑱溥（pǔ）：同"普"，普遍。⑲烖（zāi）：同"灾"。⑳蹙（cù）：收缩。

颂

周颂

清庙

於穆清庙[1]，肃雍显相[2]。济济多士[3]，秉文之德[4]；对越在天[5]，骏奔走在庙[6]。不显不承[7]，无射於人斯[8]。

【注释】

①清庙：清静的宗庙。②肃雍：庄重而和顺的样子。③多士：指祭祀时承担各种职事的官吏。④文之德：周文王的德行。⑤对越：犹“对扬”，对是报答，扬是颂扬。⑥骏：敏捷，迅速。⑦不（pī）：通“丕”，大。承：继承。⑧射（yì）：借为“斁”，厌弃。

维天之命

维天之命，於穆不已。於乎不显，文王之德之纯。假以溢我[1]，我其收之。骏惠我文王[2]，曾孙笃之。

【注释】

①溢：安静，安宁。②骏惠：顺。

维清

维清缉熙，文王之典[1]。肇禋[2]，迄用有成[3]，维周之祯[4]。

【注释】

①典：法。②肇：开始。禋（yīn）：祭祀。③迄：至。④祯：吉祥。

烈文

烈文辟公[①]，锡兹祉福[②]。惠我无疆，子孙保之。无封靡于尔邦[③]，维王其崇之[④]。念兹戎功[⑤]，继序其皇之[⑥]。无竞维人，四方其训之[⑦]。不显维德，百辟其刑之[⑧]。於乎！前王不忘。

【注释】

①烈：光明。辟公：诸侯。②锡（cì）：赐。③靡：罪恶。④崇：尊重。⑤戎：大。⑥序：通“叙”，业。⑦训：导。⑧百辟：众诸侯。刑：通“型”，效法。

天作

天作高山[①]，大王荒之[②]。彼作矣[③]，文王康之[④]。彼徂矣[⑤]，岐有夷之行，子孙保之。

【注释】

①高山：指岐山。②荒：扩大，治理。③作：治理。④康：继续。⑤徂：往。

昊天有成命

昊天有成命[①]，二后受之[②]。成王不敢康[③]，夙夜基命宥密[④]。於缉熙[⑤]，单厥心[⑥]，肆其靖之[⑦]。

【注释】

①成命：既定的天命。②二后：周文王与周武王。③康：安乐，安宁。④宥（yòu）密：宽仁宁静。⑤缉熙：光明。⑥单：通“殚”，竭尽。⑦肆：巩固。靖：安定。

我将

我将我享[①]，维羊维牛，维天其右之[②]！仪式刑文王之典[③]，日靖四方。伊嘏文王[④]，既右飨之。我其夙夜，畏天之威，于时保之[⑤]。

【注释】

①享：献祭品。②右：通“佑”，保佑。③仪式：法度。④嘏（jiǎ）：伟大。⑤于时：于是。

时迈

时迈其邦[①]，昊天其子之，实右序有周[②]。薄言震之[③]，莫不震叠[④]。怀柔百神[⑤]，及河乔岳[⑥]。允王维后[⑦]，明昭有周[⑧]。式序在位[⑨]，载戢干戈[⑩]，载櫜弓矢[⑪]。我求懿德，肆于时夏。允王保之！

【注释】

①迈：巡守。②右：同“佑”，保佑。③震：威严。④震叠：即“震慑”，震惊慑服。叠：通“慑”，畏服。⑤怀柔：安抚。⑥河：黄河。乔岳：高山。⑦允：诚然，的确。⑧明昭：即“昭明”，显著，此为发扬光大的意思。⑨序在位：合理安排在位的诸侯。⑩戢（jí）：收藏。⑪櫜（gāo）：古代盛衣甲或弓箭的皮囊。

执竞

执竞武王[1]，无竞维烈[2]。不显成康[3]，上帝是皇[4]。自彼成康，奄有四方[5]，斤斤其明[6]。钟鼓喤喤[7]，磬筦将将[8]，降福穰穰。降福简简[9]，威仪反反[10]。既醉既饱，福禄来反[11]。

【注释】

①执：制服。竞：强，指强敌。②烈：功绩。③成：周成王。康：周康王。④上帝：指上天。⑤奄：覆盖。⑥斤斤：明察。⑦喤（huáng）喤：声音洪亮和谐。⑧将（qiāng）将：声音盛多。⑨简简：大。⑩威仪：祭祀时的礼节仪式。反反：慎重。⑪反：同“返”，回归，有报答之意。

思文

思文后稷[1]，克配彼天[2]。立我烝民[3]，莫匪尔极[4]。贻我来牟，帝命率育。无此疆尔界，陈常于时夏[5]。

【注释】

①文：文德，即治理国家、发展经济的功德。②克：能够。③立：通“粒”，米食，这里指养育。④极：无量功德。⑤夏：中国。

臣工

嗟嗟臣工[1]，敬尔在公[2]。王釐尔成[3]，来咨来茹[4]。嗟嗟保介[5]，维莫之春[6]，亦又何求[7]？如何新畬[8]。於皇来牟[9]，将受厥明[10]。明昭上帝[11]，迄用康年[12]。命我众人，庤乃钱鎛[13]，奄观铚艾。

诗经

【注释】

①臣工：群臣百官。②在公：为公家工作。③釐：通“赉（lài）”，赐。成：指功绩。④茹：商度。⑤保介：田官。⑥莫（mù）：古“暮”字，莫之春即暮春，麦将成熟时。⑦求：需求。⑧新畬（yú）：耕种两年的田叫新，耕种三年的田叫畬。⑨来牟：麦子。⑩厥明：厥，其，指代将熟之麦。⑪明昭：明智而洞察。⑫迄用：终于。康年：丰年。⑬庤（zhì）：储备。

噫嘻

噫嘻成王！既昭假尔[1]。率时农夫，播厥百谷。骏发尔私[2]，终三十里[3]。亦服尔耕[4]，十千维耦。

【注释】

①昭假（gé）：招请。②骏：迅疾。③终：尽。④服：从事。

振鹭

振鹭于飞[1]，于彼西雍[2]。我客戾止，亦有斯容。在彼无恶，在此无斁[3]。庶几夙夜，以永终誉。

【注释】

①振：群飞的样子。②雍：水泽。③斁（yì）：厌弃。

丰年

丰年多黍多稌，亦有高廪[1]，万亿及秭[2]。为酒为醴，烝畀祖妣[3]，以洽百礼[4]，降福孔皆。

【注释】

①廪：粮仓。②秭（zǐ）：数词，十亿。③畀（bì）：给予。祖妣：男女祖先。④洽：配合。百礼：各种礼仪。

有瞽

有瞽有瞽[1]，在周之庭。设业设虡[2]，崇牙树羽[3]。应田县鼓[4]，鞉磬柷圉[5]。既备乃奏[6]，箫管备举[7]。喤喤厥声[8]，肃雍和鸣[9]，先祖是听。我客戾止，永观厥成。

【注释】

①瞽（gǔ）：盲人。这里指周代的盲人乐师。②业：悬挂乐器的横木上的大板。虡（jù）：悬挂乐器的直木架，上有业。③崇牙：业上用以挂乐器的木钉。④应：小鼓。田：大鼓。县（xuán）："悬"的本字。⑤鞉（táo）：一种立鼓。⑥备：安排就绪。⑦箫管：竹制吹奏乐器。⑧喤（huáng）喤：乐声大而和谐。⑨肃雍：肃穆舒缓。

潜

猗与漆沮[1]，潜有多鱼[2]。有鳣有鲔，鲦鲿鰋鲤。以享以祀，以介景福。

【注释】

①猗与：赞美之词。漆沮：两条河流名。②潜：通"槮（sǎn）"，放在水中供鱼栖止的柴堆。

雍

有来雍雍[1]，至止肃肃。相维辟公[2]，天子穆穆。於荐广牡[3]，相予肆祀。假哉皇考[4]！绥予孝子。宣哲维人[5]，文武维后。燕及皇天，克昌厥后。绥我眉寿，介以繁祉。既右烈考[6]，亦右文母[7]。

【注释】

①雍雍：和睦。②辟公：诸侯。③荐：进献。④假：大。⑤宣哲：明智。⑥烈考：先父。⑦文母：有文德的母亲。

载见

载见辟王[1]，曰求厥章[2]。龙旂阳阳[3]，和铃央央[4]。鞗革有鸧[5]，休有烈光[6]。率见昭考，以孝以享。以介眉寿，永言保之，思皇多祜。烈文辟公[7]，绥以多福，俾缉熙于纯嘏[8]。

【注释】

①辟王：君王。②章：法度。③阳阳：鲜明。④央央：铃声和谐。⑤鞗(tiáo)革：马缰绳上的铜饰。⑥休：美。⑦烈文：辉煌而有文德。⑧纯嘏(gǔ)：大福。

有客

有客有客[1]，亦白其马。有萋有且[2]，敦琢其旅[3]。有客宿宿[4]，有客信信[5]。言授之絷，以絷其马。薄言追之[6]，左右绥之。既有淫威，降福孔夷。

【注释】

①客：指宋微子。②有萋有且(jū)：此指随从众多。③敦琢：意为雕琢，引申为选择。④宿：一宿曰宿。⑤信：再宿曰信。⑥追：饯行送别。

武

於皇武王[①]！无竞维烈[②]。允文文王[③]，克开厥后[④]。嗣武受之[⑤]，胜殷遏刘[⑥]，耆定尔功[⑦]。

【注释】

①皇：光耀。②烈：功业。③允：信然。④克：能。⑤嗣：后嗣。⑥刘：杀戮。⑦耆（zhǐ）：致使。

闵予小子

闵予小子[①]，遭家不造[②]，嬛嬛在疚[③]。於乎皇考[④]，永世克孝[⑤]。念兹皇祖[⑥]，陟降庭止。维予小子，夙夜敬止。於乎皇王！继序思不忘[⑦]。

【注释】

①闵：通"悯"，怜悯。②不造：不善，指遭凶丧。③嬛（qióng）嬛：同"茕茕"，孤独无依靠。④皇考：指周武王。⑤克：能。⑥皇祖：指周文王。⑦序：事业。

访落

访予落止[①]，率时昭考[②]。於乎悠哉[③]，朕未有艾[④]。将予就之[⑤]，继犹判涣[⑥]。维予小子，未堪家多难。绍庭上下[⑦]，陟降厥家。休矣皇考，以保明其身。

【注释】

①访：谋，商讨。落：始。②率：遵循。③悠：远。④艾：阅历。⑤将：

助。⑥判涣：大。⑦绍：继。

敬之

敬之敬之[1]，天维显思[2]，命不易哉[3]！无曰高高在上，陟降厥士，日监在兹。维予小子，不聪敬止。日就月将，学有缉熙于光明[4]。佛时仔肩[5]，示我显德行[6]。

【注释】

①敬：通“儆”，警诫。②显：明察。③命：天命。④缉熙：积累光亮，喻掌握知识渐广渐深。⑤佛（bì）：通“弼”，辅助。一说指大。仔肩：责任。⑥显：美好。

小毖

予其惩而毖后患[1]。莫予荓蜂[2]，自求辛螫。肇允彼桃虫[3]，拚飞维鸟[4]。未堪家多难[5]，予又集于蓼。

【注释】

①毖：警戒。②荓（píng）蜂：引申为扶助之意。③肇：开始。④拚：翻飞。⑤多难：指武庚、管叔、蔡叔之乱。

载芟

载芟载柞[1]，其耕泽泽[2]。千耦其耘[3]，徂隰徂畛[4]。侯主侯伯[5]，侯亚侯旅[6]，侯彊侯以[7]。有嗿其馌[8]，思媚其妇[9]，有依其士[10]。有略其耜[11]，俶载南亩[12]。播厥百谷，实函斯活[13]。驿驿其达[14]，有厌其杰[15]。厌厌其苗，绵绵其麃[16]。

载获济济，有实其积，万亿及秭[17]。为酒为醴，烝畀祖妣，以洽百礼。有飶其香，邦家之光。有椒其馨，胡考之宁。匪且有且，匪今斯今，振古如兹[18]。

【注释】

①载芟（shān）载柞（zuò）：又割杂草又砍树木。②泽泽：通“释释”，土解。③耘：除田间杂草。④畛（zhěn）：田边小路。⑤主：家长。⑥旅：幼小子弟辈。⑦彊：同“强”，强壮者。以：雇工。⑧嗿（tǎn）：众人饮食声。⑨媚：美。⑩依：壮盛。⑪有略：略略，形容耜的锋刃很锋利。⑫俶（chù）：始。南亩：田地。⑬实：种子。活：活生生。⑭达：出土。⑮杰：特出之苗。⑯麃（biāo）：谷物的穗。⑰亿：十万。⑱振古：终古。

良耜

畟畟良耜[1]，俶载南亩[2]。播厥百谷，实函斯活[3]。或来瞻女[4]，载筐及莒。其饟伊黍，其笠伊纠[5]，其镈斯赵[6]，以薅荼蓼[7]。荼蓼朽止，黍稷茂止。获之挃挃[8]，积之栗栗[9]。其崇如墉[10]，其比如栉[11]，以开百室[12]。百室盈止，妇子宁止。杀时犉牡，有捄其角。以似以续[13]，续古之人。

【注释】

①畟（cè）畟：形容耒耜（古代一种像犁的农具）的锋刃快速入土。②俶（chù）：开始。③函：指种子播下之后孕育发芽。④瞻：看。⑤纠：指用草绳编织而成。⑥赵：锋利好使。⑦薅（hāo）：去掉田中杂草。⑧挃（zhì）挃：形容收割庄稼的摩擦声。⑨栗栗：形容收割的庄稼堆积之多。⑩墉（yōng）：高高的城墙。⑪比：排列。⑫百室：指众多的粮仓。⑬似：通“嗣”，继续。

丝衣

丝衣其紑[①]，载弁俅俅[②]。自堂徂基[③]，自羊徂牛。鼐鼎及鼒[④]，兕觥其觩。旨酒思柔。不吴不敖[⑤]，胡考之休。

【注释】

①丝衣：祭服。紑（fóu）：洁白鲜明貌。②俅（qiú）俅：形容冠饰美丽的样子。③堂：庙堂。④鼐（nài）：大鼎。鼒（zī）：小鼎。⑤吴：大声说话，喧哗。

酌

於铄王师[①]，遵养时晦[②]。时纯熙矣，是用大介。我龙受之，蹻蹻王之造[③]。载用有嗣，实维尔公，允师。

【注释】

①王师：王朝的军队。②养：攻取。③蹻（jué）蹻：勇武之貌。

桓

绥万邦[①]，娄丰年[②]。天命匪解[③]。桓桓武王[④]，保有厥士，于以四方，克定厥家。於昭于天，皇以间之[⑤]。

【注释】

①绥：平定。②娄（lǚ）：同“屡”。③匪解（xiè）：非懈，不懈怠。④桓桓：威武。⑤间（jiàn）：代替。

赉[1]

文王既勤止，我应受之。敷时绎思[2]，我徂维求定。时周之命，於绎思。

【注释】

①赉（lài）：赐予。②敷：遍布，施政于天下。

般

於皇时周[1]，陟其高山[2]，嶞山乔岳[3]，允犹翕河[4]。敷天之下[5]，裒时之对[6]，时周之命[7]。

【注释】

①皇：伟大。②陟（zhì）：登高。③嶞（duò）：低矮狭长的山。④河：黄河。⑤敷：遍。⑥裒（póu）：聚。⑦时：通“侍”，承受。

鲁颂

駉

駉駉牡马[1]，在坰之野[2]。薄言駉者，有驈有皇，有骊有黄，以车彭彭[3]。思无疆，思马斯臧。

駉駉牡马，在坰之野。薄言駉者，有骓有駓，有骍有骐，以车伾伾[4]。思无期，思马斯才。

駉駉牡马，在坰之野。薄言駉者，有驒有骆，有骝有雒，以车绎绎[⑤]。思无斁[⑥]，思马斯作。

駉駉牡马，在坰之野。薄言駉者，有骃有騢，有驔有鱼[⑦]，以车祛祛[⑧]。思无邪，思马斯徂。

【注释】

①駉（jiōng）駉：马健壮貌。②坰（jiōng）：野外。③以车：用马驾车。④伾（pī）伾：有力的样子。⑤绎绎：跑得很快的样子。⑥斁（yì）：厌倦。⑦鱼：两眼长两圈白毛的马。⑧祛（qū）祛：强健的样子。

有駜

有駜有駜[①]，駜彼乘黄[②]。夙夜在公[③]，在公明明[④]。振振鹭[⑤]，鹭于下。鼓咽咽[⑥]，醉言舞。于胥乐兮[⑦]！

有駜有駜，駜彼乘牡[⑧]。夙夜在公，在公饮酒。振振鹭，鹭于飞。鼓咽咽，醉言归。于胥乐兮！

有駜有駜，駜彼乘骃[⑨]。夙夜在公，在公载燕[⑩]。自今以始，岁其有。君子有穀，诒孙子[⑪]。于胥乐兮！

【注释】

①駜（bì）：马肥壮貌。②乘（shèng）黄：四匹黄马。③公：官府。④明明：通“勉勉”，努力貌。⑤振振鹭：群飞貌。⑥咽咽：不停的鼓声。⑦胥：皆，都。⑧牡：公马。⑨骃（xuān）：青骊马。⑩载：则。⑪诒：留。

泮水

思乐泮水[①]，薄采其芹[②]。鲁侯戾止[③]，言观其旂。其旂茷茷[④]，鸾声哕哕。无小无大，从公于迈。

思乐泮水，薄采其藻。鲁侯戾止，其马跻跻。其马跻跻，其音昭昭⑤。载色载笑，匪怒伊教。

思乐泮水，薄采其茆⑥。鲁侯戾止，在泮饮酒。既饮旨酒，永锡难老。顺彼长道，屈此群丑⑦。

穆穆鲁侯⑧，敬明其德。敬慎威仪，维民之则。允文允武，昭假烈祖⑨。靡有不孝，自求伊祜。

明明鲁侯，克明其德。既作泮宫，淮夷攸服。矫矫虎臣，在泮献馘。淑问如皋陶，在泮献囚。

济济多士，克广德心。桓桓于征，狄彼东南。烝烝皇皇，不吴不扬。不告于讻⑩，在泮献功。

角弓其觩⑪，束矢其搜。戎车孔博，徒御无斁。既克淮夷，孔淑不逆。式固尔犹，淮夷卒获。

翩彼飞鸮⑫，集于泮林。食我桑黮⑬，怀我好音。憬彼淮夷⑭，来献其琛⑮。元龟象齿⑯，大赂南金⑰。

【注释】

①泮（pàn）水：水名。②芹：水中植物，即水芹菜。③戾：至，到来。④茷（pèi）茷：飘扬。⑤昭昭：指声音嘹亮。⑥茆（mǎo）：莼菜。⑦群丑：对敌人的蔑称，指淮夷。⑧穆穆：举止恭敬端庄。⑨昭假：人的诚意上达于神。⑩讻（xiōng）：凶恶的敌人。⑪觩（qiú）：弯曲松弛。⑫鸮（xiāo）：猫头鹰。⑬桑黮：同“桑葚”。⑭憬（jǐng）：觉悟。⑮琛（chēn）：珍宝。⑯元龟：大龟。⑰赂（lù）：通“璐”，美玉。南金：南方出产的金或铜。

閟宫

閟宫有侐①，实实枚枚②。赫赫姜嫄，其德不回。上帝是依，无灾无害。弥月不迟③，是生后稷，降之百福。黍稷重穋④，稙稺菽麦⑤。奄有下国，俾民稼穑。有稷有黍，有稻有秬⑥。奄有下土，缵禹之绪。

后稷之孙，实维大王。居岐之阳，实始剪商。至于文武，缵大王之绪。致天之届[7]，于牧之野。无贰无虞，上帝临女。敦商之旅[8]，克咸厥功。

王曰叔父，建尔元子[9]，俾侯于鲁。大启尔宇，为周室辅。乃命鲁公，俾侯于东，锡之山川，土田附庸。周公之孙，庄公之子。龙旂承祀，六辔耳耳。春秋匪解[10]，享祀不忒。皇皇后帝，皇祖后稷。享以骍牺[11]，是飨是宜，降福既多。周公皇祖，亦其福女。秋而载尝，夏而楅衡[12]。白牡骍刚，牺尊将将。毛炰胾羹[13]，笾豆大房。万舞洋洋[14]，孝孙有庆。俾尔炽而昌，俾尔寿而臧。保彼东方，鲁邦是常。不亏不崩，不震不腾。三寿作朋[15]，如冈如陵。

公车千乘，朱英绿縢[16]，二矛重弓。公徒三万，贝胄朱綅[17]，烝徒增增。戎狄是膺，荆舒是惩，则莫我敢承。俾尔昌而炽，俾尔寿而富。黄发台背[18]，寿胥与试。俾尔昌而大，俾尔耆而艾。万有千岁，眉寿无有害。

泰山岩岩，鲁邦所詹。奄有龟蒙，遂荒大东。至于海邦，淮夷来同。莫不率从，鲁侯之功。

保有凫绎，遂荒徐宅。至于海邦，淮夷蛮貊。及彼南夷，莫不率从。莫敢不诺，鲁侯是若。

天锡公纯嘏，眉寿保鲁。居常与许，复周公之宇。鲁侯燕喜，令妻寿母。宜大夫庶士，邦国是有。既多受祉[19]，黄发儿齿[20]。

徂来之松，新甫之柏。是断是度，是寻是尺。松桷有舄[21]，路寝孔硕，新庙奕奕[22]。奚斯所作，孔曼且硕，万民是若[23]。

【注释】

①閟（bì）宫：神宫。后稷母亲姜嫄的庙。侐（xù）：清静。②实实：

广大。枚枚：闲暇无人。③弥月：满月。④重穋（tóng lù）：通"穜稑"，先种后熟的谷物曰穜，后种先熟的谷物曰稑。⑤稙（zhí）：早种的谷物。稺（zhì）：晚种的谷物。⑥秬（jù）：黑黍。⑦届：通"殛"，诛罚。⑧敦：聚集。⑨元子：长子。⑩解（xiè）：通"懈"，懈怠。⑪骍（xīn）牺：赤色牛作牺牲。⑫楅衡（bì héng）：牛栏。⑬胾（zì）：大块的肉。⑭万舞：一种舞蹈名。⑮三寿：《养生经》："上寿百二十，中寿百年，下寿八十。"⑯绿縢（téng）：缠弓套的绿绳。⑰朱綅（qīn）：红线。⑱台背：鲐背，谓老人驼背如鲐鱼背一样，为高寿之征。⑲祉：福。⑳儿齿：高寿的象征。老人牙落又生新牙。㉑桷（jué）：方形屋椽。舄（xì）：大。㉒奕奕：神采飞扬。㉓是若：顺从。

商颂

那

猗与那与[①]，置我鞉鼓[②]。奏鼓简简[③]，衎我烈祖[④]。汤孙奏假[⑤]，绥我思成[⑥]。鞉鼓渊渊[⑦]，嘒嘒管声[⑧]。既和且平，依我磬声[⑨]。於赫汤孙[⑩]，穆穆厥声[⑪]。庸鼓有斁[⑫]，万舞有奕。我有嘉客，亦不夷怿[⑬]。自古在昔，先民有作。温恭朝夕，执事有恪。顾予烝尝[⑭]，汤孙之将。

【注释】

①猗（ē）与那（nuó）与：犹"婀欤娜欤"，形容乐队美盛之貌。②置：竖立。③简简：鼓声洪大。④衎（kàn）：欢乐。⑤汤孙：商汤之孙。奏假：祭享。⑥绥：赠予，赐予。⑦渊渊：鼓声。⑧嘒（huì）嘒：象声词，吹管的乐声。⑨磬：一种玉制打击乐器。⑩赫：显赫。⑪穆穆：和美庄肃。⑫庸：同"镛"，大钟。⑬夷怿（yì）：怡悦。⑭顾：光顾。

烈祖

嗟嗟烈祖，有秩斯祜①。申锡无疆②，及尔斯所③。既载清酤④，赉我思成。亦有和羹，既戒既平⑤。鬷假无言⑥，时靡有争。绥我眉寿，黄耇无疆。约軧错衡，八鸾鸧鸧。以假以享，我受命溥将。自天降康，丰年穰穰。来假来飨，降福无疆。顾予烝尝，汤孙之将。

【注释】

①有秩斯祜：形容福之大貌。②申：再三。③及尔斯所：犹云“以迄于今”。④清酤：清酒。⑤戒：至。⑥鬷（zōng）假：集合大众祈祷。

玄鸟

天命玄鸟①，降而生商，宅殷土芒芒②。古帝命武汤③，正域彼四方④。方命厥后⑤，奄有九有⑥。商之先后⑦，受命不殆⑧，在武丁孙子。武丁孙子，武王靡不胜。龙旂十乘，大糦是承⑨。邦畿千里⑩，维民所止，肇域彼四海⑪。四海来假⑫，来假祁祁⑬。景员维河。殷受命咸宜⑭，百禄是何。

【注释】

①玄鸟：燕子。②芒芒：同“茫茫”，远大。③古帝：天帝。④正（zhēng）：同“征”。⑤方：遍，普。⑥奄：包括。九有：九州。⑦先后：先王。⑧殆：通“怠”，懈怠。⑨糦：同“馆”，酒食。⑩邦畿：封畿，疆界。⑪肇域四海：拥有四海之疆域。⑫来假（gé）：来朝。⑬祁祁：纷杂众多之貌。⑭咸宜：人们都认为适宜。

长发

濬哲维商[①]，长发其祥。洪水芒芒，禹敷下土方[②]。外大国是疆[③]，幅陨既长[④]。有娀方将[⑤]，帝立子生商。

玄王桓拨[⑥]，受小国是达，受大国是达。率履不越[⑦]，遂视既发。相土烈烈[⑧]，海外有截[⑨]。

帝命不违，至于汤齐。汤降不迟，圣敬日跻。昭假迟迟，上帝是祗[⑩]。帝命式于九围。

受小球大球[⑪]，为下国缀旒[⑫]，何天之休。不竞不絿[⑬]，不刚不柔，敷政优优[⑭]，百禄是遒[⑮]。

受小共大共，为下国骏厖[⑯]，何天之龙。敷奏其勇[⑰]，不震不动，不戁不竦[⑱]，百禄是总。

武王载旆，有虔秉钺。如火烈烈，则莫我敢曷。苞有三蘖[⑲]，莫遂莫达。九有有截[⑳]，韦顾既伐，昆吾夏桀。

昔在中叶，有震且业[㉑]。允也天子，降予卿士。实维阿衡[㉒]，实左右商王。

【注释】

①濬（jùn）哲：明智。②敷：治。③外大国：边疆以外的大国。疆：划分疆界。④幅陨（yǔn）：幅员。⑤有娀（sōng）：古国名。⑥桓拨：英明。⑦率履：遵循。⑧烈烈：威武。⑨有截：整齐。⑩祗（zhī）：敬。⑪球：玉器。⑫缀旒（liú）：表章。⑬絿（qiú）：求。⑭优优：温和宽厚。⑮遒：聚集。⑯骏厖（máng）：庇护。⑰敷奏：施展。⑱戁（nǎn）、竦：恐惧。⑲苞：树干。蘖（niè）：旁生的嫩芽。⑳九有：九州。截：整齐。㉑业：大。㉒实维：这是。

殷武

挞彼殷武[①]，奋伐荆楚[②]。罙入其阻[③]，裒荆之旅[④]。有截其所，汤孙之绪[⑤]。

维女荆楚，居国南乡[⑥]。昔有成汤，自彼氐羌，莫敢不来享，莫敢不来王，曰商是常。

天命多辟[⑦]，设都于禹之绩。岁事来辟[⑧]，勿予祸适[⑨]，稼穑匪解。

天命降监，下民有严。不僭不滥[⑩]，不敢怠遑。命于下国，封建厥福。

商邑翼翼，四方之极。赫赫厥声，濯濯厥灵。寿考且宁，以保我后生[⑪]。

陟彼景山，松伯丸丸[⑫]。是断是迁，方斲是虔[⑬]。松桷有梴，旅楹有闲，寝成孔安[⑭]。

【注释】

①挞（tà）：勇武貌。②荆楚：即荆州之楚国。③罙（shēn）：同“深”。④裒（póu）：通“俘”，俘获。⑤绪：功业。⑥乡（xiàng）：通“向”，所。⑦多辟（bì）：众多诸侯国君。⑧来辟：犹言“来王”“来朝”。⑨祸适：读如“过谪”，谴责。⑩不僭（jiàn）不滥：赏不僭，刑不滥。⑪后生：犹言后代子孙。⑫丸丸：形容松柏枝条挺拔。⑬方：是。虔：砍削。⑭寝：此指为殷高宗所建的寝庙。